SEGREDOS DO
IMPÉRIO MAIA

CONHEÇA NOSSOS LIVROS
ACESSANDO AQUI!

Copyright © 2016 Felipe Boschetti
Direitos reservados e protegidos pela lei 9.610 de 19.2.1998.
Nenhuma parte deste livro pode ser reproduzida, arquivada em sistema de busca ou transmitida por qualquer meio, seja ele eletrônico, xérox, gravação ou outros, sem prévia autorização do detentor dos direitos, e não pode circular encadernada ou encapada de maneira distinta daquela em que foi publicada, ou sem que as mesmas condições sejam impostas aos compradores subsequentes.
2ª Impressão 2024

Presidente: Paulo Roberto Houch
MTB 0083982/SP

Coordenação Editorial: Priscilla Sipans
Coordenação de Arte: Rubens Martim (capa)
Edição: Ana Vasconcelos (ECO Editorial)
Diagramação: Patrícia Andrioli
Imagens: Shutterstock

Foi feito o depósito legal.
Impresso na China

Dados Internacionais de Catalogação na Publicação (CIP)
de acordo com ISBD

B742s   Boschetti, Felipe

Os Segredos do império Maia / Felipe Boschetti. -
Barueri : Camelot Editora, 2022.
144 p. ; 15,5cm x 23cm.

ISBN: 978-65-80921-39-3

1. História. 2. Maias. I. Título.

2022-2768   CDD 972.01
                                   CDU 972

Elaborado por Vagner Rodolfo da Silva - CRB-8/9410

Direitos reservados ao
IBC — Instituto Brasileiro de Cultura LTDA
CNPJ 04.207.648/0001-94
Avenida Juruá, 762 — Alphaville Industrial
CEP. 06455-010 — Barueri/SP
www.editoraonline.com.br

SUMÁRIO

Apresentação 5

CAPÍTULO 1 - Origem e história 6

CAPÍTULO 2 - A sociedade e o sistema político 33

CAPÍTULO 3 - A agricultura e os animais 44

CAPÍTULO 4 - A economia e o comércio 50

CAPÍTULO 5 - Os crimes e as leis no mundo maia 63

CAPÍTULO 6 - A religião maia e seus deuses 69

CAPÍTULO 7 - A escrita maia..81

CAPÍTULO 8 - Rituais de sangue..................................91

CAPÍTULO 9 - A medicina maia 98

CAPÍTULO 10 - O jogo ritual e os esportes 104

CAPÍTULO 11 - A ciência maia....................................111

CAPÍTULO 12 - Os maias e sua arte 119

CAPÍTULO 13 - A fascinante arquitetura maia 123

CAPÍTULO 14 - A chegada dos espanhóis.................134

CAPÍTULO 15 - Guatemala: o coração maia..............138

Estátua de Tlaloc localizada no museu em Chapultepec, México

APRESENTAÇÃO

Junto com os astecas e os incas, os maias foram uma das três maiores civilizações ameríndias da Mesoamérica. Grandes construtores – inclusive de pirâmides –, seu legado foi tamanho não só na arquitetura, mas na medicina, na matemática, na astronomia e nas artes. Foram grandes comerciantes e o transporte de mercadorias, compra e venda de produtos interligavam suas aldeias, reinos e cidades, que ocupavam as atuais regiões da península de Yucatán, Guatemala, Belize, México, Honduras e El Salvador.

Nesta obra, levamos você para um mergulho no passado dessa fantástica civilização. Você vai conhecer as origens e os povos que formaram os maias, os costumes, o dia a dia nas cidades, a ciência, a arquitetura, o comércio, as artes e a religião politeísta com seus sacrifícios humanos. Vai, ainda, entender por que essa é a mais complexa civilização da Mesoamérica, seu crescimento, auge e declínio e como, ainda hoje, os maias e seus descendentes formam populações consideráveis em toda a região e mantêm vivo um conjunto de tradições e crenças em vários países.

1
ORIGEM E HISTÓRIA

OS MAIAS AINDA INSPIRAM TEMOR E
FASCINAÇÃO COMO HÁ VÁRIOS SÉCULOS,
POR SUAS CIDADES ENTERRADAS NA SELVA E
PELOS MISTÉRIOS QUE OS ENVOLVEM

No momento em que os espanhóis chegaram às regiões da Guatemala e à península de Yucatán, e entraram diretamente em contato com alguns povos que eram, de certa forma, descendentes dos ramos Maias, não faziam ideia do tamanho da civilização com que esbarraram. "Já fazia seis ou sete séculos que se extinguira o esplendor clássico maia; e as cidades em ruínas, devoradas pela floresta tropical, estavam na maior parte esquecidas", diz o pesquisador Paul Gendrop, na obra *A civilização maia*, sobre o momento do encontro entre as duas civilizações.

De fato, os maias criaram algumas das maiores construções da Mesoamérica e foram, junto com os Astecas e os Incas, uma das três grandes civilizações Ameríndias de todos os tempos. Seu legado era tamanho, que por meio do comércio, suas aldeias, reinos e cidades ocupam as atuais regiões na península de Yucatán, Guatemala, Belize, México, Honduras e El Salvador. Conhecedores de campos como os da matemática, astronomia, sem contar das artes, foram considerados os mais complexos dentre todos os povos mesoamericanos.

O INÍCIO DOS POVOS SEDENTÁRIOS

Existem diversas teorias sobre a chegada do homem ao continente americano. A teoria mais fundamentada seria a da passagem pelo estreito de Bering, em uma época que os gelos teriam coberto boa parte do território e o continente estaria ligado à Ásia. No entanto, essa possibilidade não descarta a alternativa de contatos através do oceano Pacífico ou pelo oceano Atlântico.

"A atividade humana na área do México e da vizinha Guatemala remonta a 20 mil anos ou mais, aos tempos em que os primeiros caçadores-coletores se estabeleceram nessa zona", conta Charles Phillips, na obra *O mundo asteca e maia*, sobre o início dos cotidianos mesoamericanos.

De fato, o recuo dos gelos, aproximadamente no oitavo milênio a.C., acarretou muitas modificações, desde a interrupção da passagem para a Ásia, o que gerou ao continente americano um completo isolamento do resto do mundo, salvo por contatos marítimos. Esse isolamento, por outro lado, gerou um maior aproveitamento das civilizações com relação a seus recursos e, principalmente, a originalidade, com uma vida primitiva de subsistência baseada na caça, pesca e coleta de plantas e frutos nativos.

OS ANTEPASSADOS E CONTEMPORÂNEOS DOS MAIAS

A complexidade dos povos da Mesoamérica pode ser sentida através de todas as civilizações que nasceram e se extinguiram naquela região. A história desses povos é posta à prova desde os primeiros assentamentos nômades. Esses povos nômades, por sua vez, caminharam pelas vastas terras do que seria o Império Maia tempos depois. Confira algumas das civilizações que estiveram presentes e outras que já haviam desaparecido quando os maias chegaram no Período Clássico de seu Império (entre 250 e 900 d.C.).

OS ZAPOTECAS

Uma das civilizações que possuía estreitos laços culturais com os maias, os olmecas e os teotihuacanos eram os zapotecas. Conhecidos também como "pessoas das nuvens", graças à localização de suas habitações, foram um dos povos chave na construção da Mesoamérica. Habitantes das montanhas ao sul das terras altas da Mesoamérica, mais especificamente na região do Vale de Oaxaca, delinearam as bases de sua cultura durante o Período Pré-clássico, até o final do Período Clássico, que varia entre 500 a.C e 900 d.C. Sua capital foi fundada primeiramente no Monte Albán e depois em Mitla. Os zapotecas dominaram aquela região e fizeram sua capital

Em Dainzu, existem largas figuras em pedra que narram de forma primitiva, em relevos, alguns jogadores com capacetes e proteções, praticando algum tipo de esporte, mais familiarizado com o popular jogo de bola, que se expandiu pela Mesoamérica.

Os detalhes em pedra podem ser encontrados também em Monte Albán. A cidade foi declarada patrimônio da humanidade pela Unesco, em 1987

em um ponto estratégico, sobreposto a três vales principais, o que permitia que visualizassem a aproximação de qualquer um.

Com uma altitude de 400 metros, a cidade de Monte Albán se tornou o centro econômico, religioso e residencial de mais de 25 mil pessoas. "Um exército de trabalhadores nivelou o terreno irregular e construiu uma praça pavimentada com estuque branco. [...] Monte Albán tinha se convertido na primeira cidade da Mesoamérica", afirma Charles Phillips na obra *O mundo asteca e maia*.

Apesar de manterem a capital distante, os zapotecas possuíam comunidades agrárias no vale do Oaxaca e ao redor dele, o que facilitou o intercâmbio com outras civilizações. Em seu auge, havia mais de mil assentamentos espalhados por todo o Vale. O monte também se tornou local de enterro da realeza zapoteca por diversos séculos. A população nos períodos de ouro da civilização chegou a 25 mil habitantes, apesar de entre 400 e 700 d.C essa população permanecer em uma média de 20 mil.

Apesar de as comunidades serem voltadas para a agricultura, nada impediu que as cidades zapotecas mostrassem um elevado nível de sofisticação em sua arquitetura, nas artes, na escrita e na engenharia de diversos projetos. Mais de 15 palácios construídos para a elite zapoteca foram identificados, além dos existentes na capital, ao redor dos vales, o que mostra que os zapotecas eram divididos em três grupos distintos.

O primeiro era localizado no Vale Zapoteca, baseado no Vale de Oaxaca, o segundo era em Sierra Zapoteca, mais ao norte, e o terceiro e último ficava ao sul e ao leste nas dependências de Tehuantepec. A sofisticação dos zapotecas não se restringia apenas aos seus palácios. Em Hierve El Agua existe um complexo sistema de irrigação que possibilita o abastecimento artificial de terraços construídos, utilizando apenas fontes naturais.

Essa narrativa em pedra é considerada uma prova das trocas e dos laços culturais entre as civilizações que compartilhavam a mesma região. É sabido, por exemplo, que em Teotihuacan existia até mesmo um bairro inteiro da cidade reservado à comunidade zapoteca, mostrando a proximidade de suas relações.

A RELIGIÃO ZAPOTECA

Assim como outros povos presentes na Mesoamérica, os zapotecas possuíam um panteão muito rico e principalmente alinhado com os elementos da natureza. Naqueles tempos, as civilizações ligavam acontecimentos naturais à vontade e à força de divindades. Alguns dos deuses mais importantes foram o deus Bat, responsável pela fertilidade; Beydo, o deus do milho, das sementes e do vento; Cocijo, que além de possuir características de jaguar e serpente em um corpo humano, era o deus da chuva e dos relâmpagos; e Copijcha, o deus do sol e da guerra, amplamente simbolizado por uma arara. Essas divindades recebiam oferendas, orações e até mesmo sacrifícios humanos em busca de uma intervenção favorável nos assuntos mundanos, como trazer chuva, acabar com as secas ou trazer fertilidade para a terra.

Era muito comum também, nas culturas mesoamericanas, alguns dias possuírem glifos que representavam elementos fundamentais do dia a dia da população, desde que estes afetassem sua vida drasticamente. No caso da civilização zapoteca, esses elementos podiam ser como o glifo de Xoo, que significa terremoto, ou Pija, que significa seca.

O DECLÍNIO

As razões pelas quais as cidades habitadas pela civilização Zapoteca ruíram ainda é um mistério para arqueólogos e especialistas. Não há qualquer tipo de vestígio que indique uma destruição violenta dos locais. O fato coincide também com a queda de Teotihuacan, em uma época em que os conflitos entre as cidades-estado eram frequentes, o que somente sustenta a teoria de que esses conflitos teriam alguma relação com a queda dos zapotecas. Em todo caso, os zapotecas não desapareceram completamente. Durante o Período Pós-clássico, foi estabelecido um centro de menor porte na cidade de Mitla, chamado de Lyobaa, que em seu dialeto significa "lugar de descanso". O local continuou a ser ocupado mesmo com as conquistas espanholas, e até hoje possui uma significação sagrada.

OS OLMECAS

A civilização Olmeca foi uma das muitas que desempenharam, assim como suas "irmãs", um papel fundamental não só no intercâmbio cultural entre esses povos, como também em influências para eles. Prósperos na Mesoamérica, foram um dos povos mais poderosos que já passaram por aquelas terras, e estabeleceram sua sociedade entre os anos de 1500 a.C até 400 a.C. Na maioria dos casos, é considerada também a civilização mãe de todas as outras culturas mesoamericanas, incluindo os astecas e os maias. Localizada no Golfo do México, em um território que hoje abriga os estados mexicanos de Veracruz e Tabasco, seu domínio se estendeu por terras que chegavam ao que hoje é a Nicarágua.

Entre suas contribuições para as culturas mesoamericanas, estão os jogos de bola, o chocolate e os deuses com aparência de animais. Contudo, acredita-se que os olmecas sejam os primeiros que se assentaram em um loteamento de terra e começaram a "vida sedentária", abandonando os costumes nômades.

OS TRÊS GRANDES CENTROS OLMECAS

Os olmecas foram responsáveis pelos primeiros grandes centros já construídos na Mesoamérica. Os mais notórios foram San Lorenzo, La Venta e Laguna de los Cerros, e cada qual possuía sua função.

De acordo com Jill Rubalcaba, em sua obra *Empires of the maya*, com a consultoria da doutora em arqueologia e especialista em Mesoamérica, Angela H. Keller, cada um dos três centros controlava um recurso vital para os olmecas e para toda a região. "Ao leste, La Venta dominava as planícies costeiras férteis onde os olmecas cultivavam milho, cacau (planta a partir da qual é feito o chocolate), borracha e sal, extraído das águas do oceano", afirma Rubalcaba.

A capital do império era San Lorenzo e seu auge foi entre os anos de 1200 e 900 a.C. Graças à sua localização privilegiada, no centro do território olmeca, foi possível prevenir que a capital sofresse com as inundações locais. Entre os bens mais valiosos à disposição dos olmecas para a livre troca e o comércio estavam a obsidiana, a jade, a serpentina, a mica, a borracha, a cerâmica, além de espelhos altamente polidos, feitos à base de magnetita e ilmenita.

Por volta de 900 a.C., a capital foi repassada a La Venta, onde se instalou uma população de mais de 18 mil pessoas. Ainda não são conhecidos os motivos por trás da ruína de San Lorenzo como capital, mas foram encontradas por arqueólogos evidências de que houve uma destruição sistemática.

Todas as três cidades, San Lorenzo, La Venta e Laguna de los Cerros, possuíam um tipo de simetria bilateral que as faziam únicas. La Venta, por exemplo, foi a primeira cidade de toda a história da Mesoamérica a ter uma pirâmide. Os olmecas consideravam as montanhas sagradas, porém, diante da ausência delas na região, construíram a Grande Pirâmide, para realizarem rituais religiosos.

OS CENTROS COMERCIAIS OLMECAS

Chalcatzingo foi um dos mais amplos centros comerciais dos olmecas. Localizado na região de Morelos, se situava no vale do rio Amatzinac e estabelecia três rotas comerciais pelas quais grande parte da riqueza olmeca passava. A riqueza do comércio olmeca e principalmente de seus centros comerciais era tamanha, que já há mil anos a.C. era possível ver as zonas públicas se desenvolvendo, de acordo com Charles Phillips na obra *O mundo asteca e maia*. "Antes de 1100 a.C., Chalcatzingo contava com uma zona pública pavimentada com pedras e duas plataformas, cobertas também com pedras, com cerca de 2 metros de altura", conta Charles em sua obra.

Entre 700 e 500 a.C., Chalcatzingo alcançou seu auge. O máximo prestígio apareceu com o contato com outros povos, como Monte Albán, capital dos Zapotecas, Izapa, na planície costeira do Pacífico, e até mesmo La Venta, uma das maiores cidades olmecas.

Pirâmides de Chalcatzingo, no estado mexicano de Morelos: importante centro comercial

Outro grande centro olmeca foi Teopantecuanitlán, que se situava na região de Guerreiro. Graças ao constante contato com Chalcatzingo, e por meio de seu complexo sistema de transporte através dos rios Cuautla, Amacuzac e Balsas, o comércio de pedras preciosas floresceu.

Estanho, cobre e jade eram algumas das pedras transportadas em cargas até o oceano Pacífico pelos olmecas de Teopantecuanitlán. Em 600 a.C, por exemplo, já haviam se convertido em um dos maiores centros daquela região, mais ao sul. "Construiram-se uma pirâmide e dois campos de bola, e os restos de moluscos marinhos encontrados na região podem significar que esse povoado tinha vínculos com as redes de comércio marítimo", afirma Charles Phillips em sua obra *O mundo asteca e maia*.

Próximo a Oaxaca, estavam diversos vilarejos que começaram a estabelecer comércio com San Lorenzo, a capital olmeca, e dentre eles o que mais se destacou foi San Jose Magote. Além de San Jose Magote ter sido um importante centro de artesanato, onde os artesãos eram alojados conforme suas especialidades em um dos quatro bairros do povoado, o vilarejo foi responsável por criar parte da mitologia olmeca. Isso porque duas linhagens olmecas cresceram notavelmente naquele local. Uma das famílias estava vinculada à figura de um humano com cara de jaguar, o que hoje os arqueólogos interpretam como uma representação da terra. A outra família estava relacionada a uma serpente de fogo, o que os especialistas acreditam ser uma representação do relâmpago. De qualquer modo, o comércio olmeca foi uma das principais razões para o intercâmbio cultural entre diversos povos mesoamericanos, e foi seguido, tempos depois, por diversas civilizações, como os maias e os astecas.

A ARTE OLMECA

No campo das artes, o maior legado olmeca, e que pode ser visto até hoje, são as largas e majestosas cabeças de pedra. Feitas com grandes pedras de basalto, em uma única expressão facial, elas são interpretadas por historiadores como retratos de antigos governantes. Elas podem possuir até 3 metros de altura e pesar até 8 toneladas. Dez de um total de 17 cabeças em pedra foram descobertas nas dependências de San Lorenzo, antiga capital olmeca.

Na maioria dos casos, o governante tinha sua cabeça entalhada em basalto com um capacete ou elmo, o que o representava como um grande guerreiro, ou com um jaguar entalhado em sua nuca, o que indicava um símbolo político e religioso de poder. Algumas culturas mesoamericanas tinham a crença de que era a cabeça que continha a alma, o que pode dar uma possível explicação dos motivos por trás dos olmecas ao produzirem apenas as cabeças, gigantescas, e não as esculturas de corpo inteiro. Além da escultura, a cerâmica e as pinturas eram outro poderoso método de trabalho para a cultura olmeca.

OS OLMECAS E OS MAIAS

Os olmecas foram, durante algum tempo, contemporâneos dos maias. A influência que os olmecas exerceram na sociedade maia foi muito importante. É possível visualizar nas duas culturas a produção de tronos monumentais, a representação em cabeças dos governantes mortos, além de estilos similares na construção de altares. Tudo isso era feito de forma semelhante nas duas civilizações. O principal detalhe, no entanto, fica a cargo da representação de um governante sentado dentro de uma boca aberta. Em formato de estátua, essa figura simbolizava, em ambas as culturas, a entrada da caverna que levava ao submundo.

Além da mitologia e da representação do mundo dos mortos, os projetos arquitetônicos feitos para edifícios públicos e cerimoniais, além das construções residenciais da elite e as casas do povo, foram todos influenciados pelos olmecas. O desaparecimento dos olmecas, em 400 a.C, coincide com o crescimento da civilização Maia e com a transição de seus períodos históricos, o que indica que essa influência massiva entre as duas culturas aconteceu de forma gradativa.

O LEGADO E O ENIGMA

O legado olmeca pode ser visto nas mais diversas civilizações que progrediram na Mesoamérica, em particular nas áreas da escultura, cerâmica e nas artes, além dos sistemas religiosos. Esta última foi acompanhada pelos astecas e pelos maias, por meio da incorporação do deus da Serpente Emplumada, que na cultura maia se chamava Kukulcan, e representava um dos maiores deuses do panteão, enquanto na cultura asteca essa serpente se chamava Quetzalcoatl. As influências artísticas podem ser acompanhadas também na arquitetura, nas pirâmides monumentais e nos sacrifícios e rituais, além dos esportes.

OS ASTECAS

O Império Asteca foi um dos mais notórios já desenvolvidos dentro de todo o continente americano e, junto com os incas e os maias, fazem a tríade das maiores civilizações Ameríndias que já existiram.

Fundado em 1345, o Império Asteca reinou em uma grande extensão de terras que cobria a maior parte do norte e noroeste da Mesoamerica, e foi responsável por uma das mais brilhantes e belicosas civilizações já vistas. Em seu auge, os astecas possuíam cerca de 150 mil quilômetros quadrados de área dominada e sua capital possuía mais de 200 mil habitantes durante o século XVI, o que proporcionou a esta o título de maior cidade da Mesoamérica. A população asteca, em seu auge, chegou a pouco mais de 11 milhões de pessoas.

Entre as maiores contribuições dos astecas estão os templos e as pirâmides, bem como seus sistemas de irrigação, seus diques à prova de alagamentos e suas artes. Barbara A. Somervill, em sua obra *Empire of the aztecs,* compara essa civilização com outros grandes impérios, como o Romano e o Persa. "Os astecas não dominaram grandes áreas de terra, como fizeram outros grandes e antigos impérios, mas uniram diferentes povos sob seu domínio. Os astecas controlaram seu império por mais de 100 anos. Apenas a invasão dos espanhóis, em 1519, terminou com seu domínio", conta Barbara A. Somervill em sua obra.

TENOCHTITLAN

A capital asteca de Tenochtitlan, localizada no Lago Texcoco, na região que hoje é o México, foi a maior cidade pré-colombiana da história e, em seus tempos áureos, conseguiu um montante de mais de 200 mil habitantes em suas terras. Esses habitantes eram divididos em um sistema de castas que funcionava por todo o império. Essas estratificações sociais aparentemente eram fixas, mas historiadores já descobriram indícios de movimentação entre algumas delas, principalmente nas mais baixas.

Os governantes locais permaneciam no topo das castas, chamados de teteuhctin, seguidos pelos nobres e pela elite local logo abaixo na pirâmide, chamados de acordo com o dialeto local de pipiltin. Abaixo da elite local estavam os cidadãos comuns, que eram chamados de macehualtin, enquanto abaixo destes só existiam os escravos, chamados de tlacohtin. Todos esses cidadãos foram necessários para fazer uma capital que não fosse somente política, mas religiosa e muito produtiva como centro comercial.

Era constante o comércio de bens e matérias-primas, além dos produtos já prontos, feitos à base de ouro, nefrite, turquesa, cacau, tabaco e algodão, bem como todas as armas, ferramentas e produtos em cerâmica, e possibilitou uma progressão continuada aos astecas e seu império. A criação de canais que transportavam e gerenciavam a água que entrava na cidade era da mais fina importância, uma vez que os chinampas – campos elevados destinados ao cultivo – poderiam ser prejudicados.

"O uso de chinampas não morreu com o fim do Império Asteca, eles são usados ainda hoje em uma região ao sudeste da cidade do México, especialmente perto de um lago chamado de Xochimilco. Os agricultores cultivam milho, flores e vegetais em suas fazendas", explica Barbara A. Somervill na obra *Empire of the aztecs*.

RELIGIÃO

Mitologia e religião sempre foram duas áreas muito presentes no cotidiano dos povos antigos, e com os astecas isso não foi diferente. Os astecas estavam intimamente entrelaçados com os deuses e, como prova disso, o nome asteca veio diretamente de aztlan, o nome da lendária primeira morada deste povo. Outras lendas astecas sugerem que Huitzilopochtli, o deus patrono dos astecas, deu ao povo um nome original, que era Mexica. Até mesmo a origem do local no qual escolheram fundar sua morada, e capital, foi feita pelos deuses. O panteão asteca era vasto e incluía uma mistura de diversos deuses mesoamericanos, ou seja, comuns a outras civilizações, como também deuses que eram exclusivamente astecas. Os dois principais deuses astecas eram o já citado Huitzilopochtli, deus da guerra e do sol, e Tlaloc, o deus da chuva.

O momento de muitos dos ritos religiosos, e até mesmo práticas agrícolas, era feito baseado nos estudos de astronomia dos astecas, embora estes não fossem tão precisos quanto os estudos feitos pelos maias. Graças a esses ritos sagrados e religiosos, os deuses eram homenageados com festas, banquetes, música, dança e com pequenos gestos que iam desde a queima de incensos e a decoração de estátuas, até grandes oferendas, como penitências e sacrifícios humanos e animais. "Os seres humanos, adultos e menos comumente crianças, foram também frequentemente sacrificados para metaforicamente 'alimentar' os deuses e mantê-los felizes para não ficarem com raiva e tornar a vida difícil para os seres humanos por meio do envio de tempestades, secas etc., ou mesmo apenas para manter o sol aparecendo cada dia", conta Barbara A. Somervill em sua obra.

ARQUITETURA E ARTE

Os espanhóis, quando invadiram o território asteca, ficaram impressionados pelo esplendor e pela magnificência das construções daquele povo, principalmente os templos e pirâmides feitas de pedras maciças esculpidas. Isso porque os astecas representavam todos os assuntos através das artes, não somente pela arquitetura. No entanto, construções como a pirâmide Templo Mayor, localizada em Tenochtitlan, procurou replicar a montada da grande serpente sagrada da mitologia asteca.

A arte asteca era fina e suntuosa e seus artesãos podiam se especializar em diversos tipos de materiais ou áreas de atuação, como a metalurgia, a escultura em pedra ou em madeira ou mesmo objetos que colocassem em prática suas habilidades com cristais, ouro, prata e penas exóticas. Um dos detalhes mais interessantes de toda a arte asteca é que, além de produtores, eles eram colecionadores. Como grandes apreciadores da movimentação artística humana, traziam artigos de arte variados de todas as partes do império para serem reunidos em Tenochtitlan. Essas peças, por sua vez, eram utilizadas em cerimônias astecas e por isso muitas foram enterradas. No entanto, a arte asteca era eclética e podia variar entre peças feitas de forma maciça como as grandes pirâmides ou os grandes murais, até mesmo pequenas miniaturas encravadas em pedras preciosas.

TEOTIHUACÁN, A CIDADE ESPLENDOROSA

Teotihuacán é uma das mais esplendorosas e fascinantes cidades já descobertas na América Central e, atualmente, é o local que mais recebe visitantes de todos os sítios arqueológicos dos povos mesoamericanos.

Localizada na zona noroeste do vale do México, a cidade abrigou em seus tempos áureos cerca de 200 mil habitantes, tendo sido um dos pilares, e um núcleo cultural incomparável, dentro das sociedades tidas como "clássicas", como mostra Charles Phillips, com consultoria do doutor em arqueologia americana pela Universidade de Londres, David M. Jones, na obra *O mundo asteca e maia*. "A cidade alcançou seu máximo esplendor em 500 a.C., contando com 125 mil a 200 mil habitantes, o que a convertia na sexta cidade mais populosa do mundo nessa época", afirmam Charles Phillips e David M. Jones na obra *O mundo asteca e maia*.

Os Teotihuacanos, como foram chamados posteriormente pelos estudiosos, viram sua civilização florescer de 150 a.C. até 600 d.C, quando houve sua queda. Pelo ano de 150 d.C. a cidade já cobria uma área aproximada de 20 quilômetros.

Contemporânea do período clássico maia, recebeu influência de diversos povos, como as civilizações Maia, Asteca e Zapoteca. No entanto sua maior influência foram os olmecas, povo que teve sua sociedade formada antes de Teotihuacán. Essa influência entre todas as civilizações foi tamanha, que Teotihuacán é o nome dado pelos astecas à cidade, uma vez que o nome original, dado pelo povo que viveu neste grande centro, ainda não foi decifrado dos grifos que resistiram ao tempo.

Existem algumas teorias sobre quais as origens do povo que viveu em Teotihuacán, no entanto, a mais provável é que boa parte do povo tenha vindo de outros locais da Bacia do México. Essa migração, por sua vez, ocasionou o encontro de culturas e a formação de uma grande cidade-estado, como demonstra o pesquisador e professor da Universidade do Estado do Arizona, George L. Cowgill, na obra *The social construction of ancient cities*. "O período inicial de rápido crescimento de Teotihuacán parece ter sido acompanhado de um despovoamento do resto da Bacia do México. Cerca de 80 a 90% da população estava, por um tempo, concentrada na cidade", afirma o pesquisador George L. Cowgill. De fato, esse é um dos fatores, além do rico comércio e sistema administrativo da cidade, que fizeram os teotihuacanos prosperar.

COMÉRCIO E DESENVOLVIMENTO

Grande parte do sucesso de Teotihuacán veio da prosperidade do seu comércio, que possuía um bairro somente para os comerciantes e trabalhadores. Uma das grandes matérias-primas utilizadas pelos teotihuacanos era a obsidiana, retirada diretamente da região de Pachuca, nas proximidades da cidade. A obsidiana era uma das pedras mais valiosas da Mesoamérica, justamente pelas suas utilidades. No caso de Teotihuacán, eram fabricadas lanças, além de outros tipos de armamentos que, posteriormente, eram comercializados com outros povos.

"Muitos artesãos e comerciantes moravam e trabalhavam na

cidade. A influência de Teotihuacán era tão notória e de tal alcance que quase podia falar-se de Império. Estendeu-se mediante o comércio e os intercâmbios e não com a guerra ou ameaça de força militar", afirma Charles Phillips em sua obra *O mundo asteca e maia*. Até mesmo a cidade maia de Kaminaljuyú, localizada no vale de Guatemala, ficou sob a influência de Teotihuacán, devido ao comércio de obsidiana. "Ocorreram, talvez, matrimônios entre as elites das duas cidades. Os comerciantes de Teotihuacán também fundaram um centro em Matacapán, Veracruz, em 400 - 500 d.C.", completa Charles Phillips em sua obra.

Outros produtos que podiam ser comercializados pela cidade eram o algodão, o sal, o cacau para fazer chocolate, penas exóticas e conchas. Em geral, grande parte de seus alimentos também podia ser vendida, tal como milho, feijão, abóbora, tomate, abacate, cacto e pimenta. A existência desses alimentos prova, também, que os teotihuacanos possuíam uma dieta bem balanceada, que aliava todos esses vegetais, frutas e grãos à caça de animais como veados, coelhos e porcos do mato.

A ARTE TEOTIHUACANA

A arte é outro grande elemento que pode ser encontrado na civilização de Teotihuacán, que representava suas histórias e mitologias por meio da escultura, da cerâmica e de murais feitos com o mais alto e minimalista estilo. A arte das civilizações mesoamericanas tomou papel único no trabalho de arqueólogos e historiadores, uma vez que os estilos artísticos de cada civilização puderam ser encontrados em territórios de outros povos, mostrando um intercâmbio cultural muito grande. "Entre os habitantes de Teotihuacán havia hábeis ceramistas, fabricantes de inquietantes máscaras e extraordinários arquitetos de monumentos. Entretanto, a pintura mural foi, sem dúvida, a arte na qual mais se destacaram", afirma Charles Phillips na obra *O mundo asteca e maia*.

Esses murais foram criados a partir de 300 d.C., como uma arte decorativa para a grande avenida principal da cidade, a Avenida dos Mortos. Após as criações na avenida, os teotihuacanos se dedicaram a esculpir e pintar seus murais nas Pirâmides do Sol e da Lua.

Muitos desses murais possuem deidades em suas imagens.

Algumas dessas divindades são específicas da civilização de Teotihuacán, já outras são representadas em outras culturas, como o deus da Serpente Emplumada, a quem os astecas chamavam de Quetzalcóatl.

A TÉCNICA DAS PINTURAS MURAIS

Esses murais, por sua vez, levavam uma quantidade de tempo muito grande para serem produzidos, e tomava dias do trabalho dos pintores que tinham como maior característica a paciência. Isso porque a técnica de produção destes murais era arcaica e exigia esperar uma camada de tinta secar, para que outra pudesse ser aplicada sobre a anterior. Como primeiro passo, os artistas preparavam os muros e paredes dos templos, pirâmides ou mesmo da Avenida dos Mortos, aplicando sobre elas uma camada de argila, que posteriormente era coberta por uma camada de cal misturada com quartzo e areia. Feito esse passo, a parede estava pronta para receber suas primeiras camadas de tinta, sempre de cor avermelhada. O vermelho era sempre a cor escolhida por se tratar de uma cor de preenchimento, como se os teotihuacanos o escolhessem como um "plano de fundo". Depois de aplicado o vermelho, os desenhos eram trabalhados em cores como o preto e o azul escuro, que possuíam a função de delinear os traçados das figuras na obra. Após essa etapa era necessário somente incorporar as cores que dariam vida à obra, como o verde, o amarelo e o azul claro.

ESCULTURA E MÁSCARAS

Entre as outras obras feitas pelos artistas de Teotihuacán, vale o destaque para os objetos de barro, as estatuetas e as máscaras em pedra. Essas últimas eram esculpidas utilizando jade, basalto, pedra verde e andesita. A escolha dos minérios para a produção das máscaras garantia um maior polimento e uma maior adesão de detalhes, especialmente os olhos, que eram desenhados com conchas ou com obsidiana. Algumas dessas máscaras eram feitas em barro, e poderiam adornar estátuas ou mesmo múmias, servindo como máscara mortuária. "Os seres humanos eram membros anônimos de um grupo em que os traços humanos frequentemente ficavam reduzidos pelas máscaras a formas quase geométricas, ou eram escondidos atrás de narigueiras tubulares", afirma Charles Phillips na obra *O mundo asteca e maia*. Charles Phillips acrescenta que os artistas de Teotihuacán eram responsáveis por produzirem "representações em murais, objetos de barro, máscaras e estatuetas que mostravam pouco interesse pelo naturalismo e muito pelo simbolismo religioso".

Esses detalhes, por sua vez, eram alcançados tanto com a escultura de estátuas e outras formas em pedra, quanto em pinturas. As cenas retratadas podiam conter glifos, o que sugere um sistema de escrita muito menos sofisticado do que o utilizado pelos Maias.

A RELIGIÃO DE TEOTIHUACÁN

A deidade mais importante de toda Teotihuacán, ao contrário das civilizações vizinhas que sempre adotavam figuras masculinas, era uma fêmea. A Deusa Aranha era uma divindade criadora que, de acordo com as representações teotihuacanas em murais e templos, usa uma máscara com presas que se assemelham à boca de uma aranha. No entanto, Teotihuacán, por ter sido uma das maiores cidades e ter abrigado povos de diversas tribos e regiões da Mesoamérica, recebeu a influência do panteão destes povos, que no geral, se assemelhavam. O deus Serpente Emplumada, grande figura da cultura asteca, conhecido como Quetzalcoátl pode ser encontrado nas dependências da cidade, assim como Chalchiuhtlicue, a deusa da água, e o deus da chuva e da guerra, Tlaloc.

As oferendas e as preces para esses dois últimos deuses eram uma preocupação constante dos Teotihuacanos por conta do clima árido da região, fazendo com que a água fosse um dos recursos mais preciosos e indispensáveis da Mesoamérica. O posicionamento dos templos foi outro diferencial para a religião de Teotihuacán, uma vez que estes se alinham com o sol em seu solstício de junho, criando uma teoria entre historiadores e arqueólogos de que datas específicas do calendário foram importantes para o povo.

As evidências de rituais e outras oferendas enterradas nas dependências desses templos e proximidades, bem como vítimas sacrificadas, ilustram a preocupação do povo em enaltecer e apaziguar a vontade dos deuses, especialmente aqueles que eram associados ao clima e à fertilidade.

O LEGADO

O legado de Teotihuacán é memorável. Não somente pela sua grande contribuição em áreas como arquitetura, religião e planejamento urbano, mas pela sua influência em outras civilizações, sejam elas subsequentes ou contemporâneas. Entre as mais famosas da lista de povos que absorveram e trocaram referências com os teotihuacanos estão os Zapotecas, os Toltecas, os Astecas e os Maias. Os Astecas, por sua vez, viam Teotihuacán como a cidade que possuía a origem da civilização, adorando-a como local sagrado.

O DECLÍNIO

Alguns estudiosos e historiadores acreditam que Teotihuacán ruiu após um grande incêndio provocado pela invasão de outras civilizações, provavelmente vindas da cidade em ascensão na época, Xochicalco, entre os séculos VII e VIII d.C. Mas pesquisas recentes revelam que o fogo atingiu apenas estruturas da elite dominante, o que leva a crer que a cidade sofreu uma revolta interna, que ocasionou também a destruição de obras de arte e esculturas religiosas. Os motivos para a destruição de Teotihuacán, segundo levantado por especialistas, se deve principalmente à escassez de recursos e a seca. Após o evento catastrófico, a cidade permaneceu povoada por mais de dois séculos antes que fosse completamente abandonada, caindo assim em um declínio sistemático e progressivo.

O INÍCIO DOS MAIAS

Graças a uma grande escassez de registros, tanto por parte dos Maias que os perderam em incêndios criminosos e invasões, quanto por parte dos europeus que chegavam à América Central em busca de riquezas, as datas que fundamentam a história deste império são imprecisas. Partindo da teoria na qual os seres humanos, ainda pouco desenvolvidos, chegaram há milhares de anos pelos canais de gelo formados no estreito de Bering, o antropólogo e especialista nas culturas do México antigo, Paul Gendrop, na obra *A civilização maia*, conta que as origens do povo maia vinham, aparentemente, da América do Norte. "Os povos que constituíam o grupo maia provinham, aparentemente, do oeste dos Estados Unidos, tendo-se estabelecido na área meridional maia no terceiro milênio a.C.", explica o antropólogo em sua obra.

ORIGEM E HISTÓRIA

Os primeiros assentamentos maias ocorreram em áreas que hoje são pântanos e mangues perto da costa do Pacífico. Na época, eram a região perfeita para receber os povos em seu novo estilo de vida, fixo e sedentário, graças à riqueza de seus alimentos. A variedade alimentícia propiciada pelas terras férteis, a vida marinha no litoral e o crescimento natural de frutos e sementes como o cacau, por exemplo, garantiu um local privilegiado para os assentamentos maias. "Os maias das planícies costeiras comercializavam seu cacau com todo o território maia. Ainda hoje, as grandes empresas agrícolas dominam esses planos", afirma Jill Rubalcaba, na obra *Empires of the maya*.

Graças à boa localização dos primeiros assentamentos maias, foi possível ter muito progresso com o crescimento da civilização e o início do que seria o povo maia, como demonstra Charles Phillips na obra *O mundo asteca e maia*. "O assentamento de Nakbé, nas terras baixas da Guatemala, um dos centros pioneiros da civilização maia, foi estabelecido pelo ano 600 a.C. [...] Nas terras maias meridionais, em 1800 a.C., a população da costa do Pacífico da zona da Guatemala morava em assentamentos permanentes de 400 a 1.000 habitantes, o que indica a existência de um chefe ou líder que controlava o povoado", conta Charles Phillips em sua obra.

A DIVISÃO DOS PERÍODOS MAIAS

Assim como dito anteriormente, as datas referentes aos maias, bem como as civilizações pré-colombianas de forma geral, são imprecisas devido à escassez de registros. No entanto, arqueólogos e historiadores estabeleceram um sistema moderno de como estudar as eras em que os maias permaneceram ativos. Esses grandes períodos foram divididos em três fases: pré-clássica, clássica e pós-clássica. Durante a era pré-clássica, que vai de 1200 a.C. até 250 d.C., pequenas comunidades agrícolas começaram a crescer de forma exponencial e complexa. Essa fase é caracterizada pela construção de grandes estátuas monumentais, o estabelecimento de rotas comerciais, muitas aproveitadas dos olmecas, e um possível sistema de governo estabelecido a fim de reger as normas da sociedade.

Já na segunda fase, a fase clássica da civilização maia, que vai de 250 d.C. até 900 d.C., é caracterizada pelo esplendor dos maias, que já haviam se espalhado e construído centenas de cidades e aldeias por grande parte da região da América Central, suportando um tráfego de milhões de pessoas.

A última fase da era dos maias foi estabelecida de 900 d.C. até 1524 d.C., data em que os historiadores creditam ao fim da civilização maia e à chegada dos espanhóis oficialmente. Além da chegada europeia e da devastação causada pelos exploradores, algumas cidades e reinos maias floresceram dramaticamente, mas sem o esplendor de outros tempos.

Em seu livro *The first maya civilization*, Francisco Estrada diz que os maias, em todas as suas épocas, mesmo com a divisão de suas cidades e com a chegada dos europeus, ainda eram o mesmo povo que vive hoje nas regiões da Guatemala e na península de Yucatán. "Nós usamos o termo Clássico para distingui-los de seu antecessores, o Pré-clássico maia do primeiro milênio a.C., e de seus sucessores, os maias Pós-clássicos que prosperaram até a chegada do Europeus no século 15. Mas esses antepassados são, é claro, as mesmas pessoas como os maias dos dias de hoje que ainda habitam a península de Yucatán, e andam pelas ruas da cidade da Guatemala, Chichicastenango, San Cristóbal de Las Casas, Merida e inúmeras aldeias."

OS MITOS DA CRIAÇÃO

Muitos dos povos pré-colombianos acreditavam que fenômenos aparentemente inexplicáveis, como relâmpagos e trovões, ou mesmo o sol, a chuva e até o planeta Terra, poderiam ser compreendidos se houvesse a presença de deuses e seres mitológicos em suas narrativas. Com os maias isso não foi diferente. Seu rico panteão foi responsável por grandiosos feitos e, entre esses feitos, estava a presença do homem na terra e seus nobres objetivos como ser racional e capaz.

As lendas a seguir são versões mais curtas feitas com base nos registros do Popol Vuh, um dos livros sagrados do povo maia e escrito por uma das etnias desse povo, a etnia dos quichés, que contém, entre outras coisas, relatos religiosos e poéticos sobre as conquistas, jornadas, mitos e lendas, entre outros aspectos da rica cultura daquele povo. Todas as falas descritas nas lendas são de autoria do próprio A. S. Franchini que, em sua obra *As melhores histórias das mitologias asteca, maia e inca*, utiliza esse artifício para melhor contar as histórias descritas a seguir.

A CRIAÇÃO DOS HOMENS DE BARRO

Os deuses maias, após terem tido o árduo trabalho de criarem a Terra, as águas e os céus, decidiram que o momento de povoar o novo mundo recém-projetado já havia chegado. Para tal, utilizaram uma das mais ricas e poderosas magias, a das palavras. Pelo poder da palavra, criaram todos os animais que vemos hoje em suas mais vastas e diferentes espécies: desde os peixes nas grandes profundezas dos oceanos até os pássaros voando no mais alto pico celeste.

Em nada economizaram os deuses a fim de terem o mais abundante planeta. As espécies terrestres possuíam suas tocas enquanto outras possuíam seus galhos e teias. Todas as espécies, de qualquer natureza, possuíam seus refúgios para se abrigarem, se reproduzirem e povoarem o tão belo planeta feito pelos deuses.

Porém, algo ainda incomodava os deuses mesmo depois de todo o trabalho. A capacidade de comunicação de todas essas espécies, seus grunhidos, latidos, piados, gemidos e rugidos não eram o bastante para os deuses.

As divindades queriam criaturas que pudessem falar, e principalmente que louvassem os seus criadores da maneira que eles mereciam pois, afinal, eles sabiam que "não ser lembrado é deixar de existir". Os deuses discutiam e discutiam, a fim de entender o que suas criações diziam, mas nada conseguiam tirar dali. Precisavam de sons inteligíveis, de declarações claras e apreços que demonstrassem toda a gratidão de que necessitavam.

Coléricos após tantas tentativas de ensinarem os animais a falar, os deuses gritaram alucinados em raiva a punição daquelas pobres criaturas. "Parem de gritar! Digam algo que se entenda! Adorem-nos, miseráveis! – [...] Por terem se recusado a nos louvarem, passarão a vida comendo-se uns aos outros, e suas tocas e esconderijos estarão sempre à mercê do perigo!", reconta A. S. Franchini em sua obra.

Decepcionados, os deuses retornaram à árdua tarefa da criação, dessa vez em busca de uma criatura que pudesse louvá-los de forma digna, com palavras, com uma linguagem que pudesse entender. Decididos a fazer uma criatura mais bela e mais inteligente que todos os animais já criados, foram tomados pela ideia da criação do homem, e para tal, depois de muita discussão, optaram por fazê-lo de barro.

Após regarem a terra com água, os deuses modelaram os homens que imaginaram a partir daquele barro. No entanto, graças à pressa de vislumbrar sua obra concluída, os deuses esqueceram-se de dar aos homens de barro um pescoço. Fazendo com que suas cabeças fossem incapazes de se mover para os lados, curvarem-se ou mesmo se expressarem corretamente, os homens de barro ficaram permanentemente com as cabeças assimétricas, e uma expressão boba, como se fossem peixes.

A pressa das divindades também fez com que se esquecessem de secar os homens de barro, fazendo com que as criaturas derretessem já nos primeiros passos. O deus dos furacões, em um pensamento rápido, soprou os bonecos a fim de que secassem e não morressem na frente dos olhos de seus criadores. A ideia, no entanto, foi péssima. A calamidade gerada do poder do deus foi tão grande que quase todos os bonecos de barro foram dissolvidos em pleno ar pela força dos ventos, e os que remanesceram, ao primeiro passo, se esfarelaram como torrões secos.

Após o fracasso dos homens de barro, os deuses optaram por descartar a ideia de utilizar esse tipo de matéria-prima para a criação dos humanos. A solução dada pelos deuses aos bonecos de barro imperfeitos foi colocá-los nos oceanos, local em que se transformaram definitivamente em peixes.

A CRIAÇÃO DOS HOMENS DE MADEIRA

Um novo conselho divino foi formado e a discussão sobre qual seria o novo material a testar a criação do homem foi calorosa. Após chegarem a nenhum lugar, tiraram a sorte em grãos de feijão e milho, até que a solução veio à tona. Madeira! Os deuses começaram a cortar galhos e a entalhar a madeira com as formas e curvas do primeiro boneco primordial, de barro. Após longos períodos de trabalho, os deuses, em seu último toque, entalharam o buraco da boca do homem de madeira.

Esse, por sua vez, não poderia ter deixado os deuses mais felizes, havia começado a falar inteligivelmente desde o momento que o terminaram. Os deuses, sem sequer pensar, criaram em série diversos homens e mulheres de madeira e permitiram que se reproduzissem à vontade, uma vez que a criação finalmente havia dado certo.

Porém, infelizmente, os homens e mulheres de madeira possuíam uma qualidade que imediatamente fez com que os deuses ficassem desolados. Eles só sabiam falar de si mesmos, se esquecendo inteiramente daqueles que lhes criaram. Os homens de madeira também não possuíam sangue e nem produziam suor. A resina e a seiva que os deuses haviam deixado em seus corpos, graças à madeira, haviam evaporado, fazendo deles as criaturas mais secas de toda a criação.

Ansiosos por colocar um fim a esse experimento falho, os deuses optaram por exterminar a primeira população terrestre com uma tempestade de lava. A fúria de Huracán, o deus dos furacões, foi tamanha que até mesmo os objetos domésticos e diários dos homens de madeira ganharam vida e se viraram contra eles, a fim de pararem a destruição encomendada por Huracán. Panelas, potes, grelhas, pratos, escumadeiras e até mesmo pilões ganharam vida e atacaram os homens de madeira, a fim de reduzirem seus corpos secos e vazios a pó. Muitos dos homens de madeira foram estraçalhados e os outros, os fugitivos e sobreviventes, em todo lugar que iam não encontravam abrigo.

Graças a isso, fugiram para as florestas em mata aberta e fechada, fazendo com que os deuses, em um último ato de piedade para com suas outrora amadas criações, os transformassem em macacos e habitassem para sempre as florestas do mundo.

A CRIAÇÃO DOS HOMENS DE MILHO

Após o fracasso desolador dos homens de barro e mais ainda dos homens de madeira, os deuses decidiram fazer uma nova tentativa em criar a espécie que lhes louvaria. A nova matéria-prima da qual os homens seriam feitos era o milho. Para tal, o deus da Serpente Emplumada fez com que os animais buscassem nos mais diversos locais e nas montanhas mais fendidas, o milho branco e o milho amarelo.

O periquito, o lince, o corvo e o coiote, para citar alguns dos animais, entraram nas fendas das montanhas e de suas profundezas ocultas e trouxeram os tipos de milho requisitados pelo deus. Os deuses, então, moeram e adicionaram água à papa feita com os grãos de milho para moldarem os primeiros homens. Foram feitos com a pasta de milho quatro homens – Balam Kitze, Balam Akab, Mahukutah e Ik Balam –, e desde o primeiro momento demonstraram sua profunda gratidão e reconhecimento aos deuses que os criaram, o que encheu as divindades de alegria. Eram belos e perfeitos e demonstravam não só sua gratidão, mas sua inteligência por meio de palavras e gestos. Eram tão sábios quanto os deuses e de sua visão nada escapava. Graças a essa inteligência eles foram capazes de conversar com os deuses em par de igualdade, e esse foi o grande motivo para o começo do descontentamento celeste.

Aos deuses não interessava ter criaturas que se assemelhassem por demais à sua própria imagem e à sua própria sabedoria. Como prevenção, removeram da mente daqueles homens uma boa parte do conhecimento que tinham. Preocupados com a capacidade de visão dos homens, os deuses decidiram que também não seria bom se estes pudessem ver a grandes distâncias e, com isso, deram fim a essa dádiva, fazendo com que só se enxergassem formas turvas e embaçadas, por conta de uma nuvem colocada estrategicamente sobre os olhos dos homens. Como compensação para a sabedoria perdida e a retirada de sua capacidade de grande visão, os homens receberam um presente dos deuses que pareciam até aquele momento apenas castigadores. Durante uma noite de sono pesado, os deuses colocaram a seus lados quatro mulheres, uma para cada homem do milho, para que sempre fossem suas companheiras e assim não se sentissem sós.

A decisão dos deuses foi bem vista pelos homens do milho, que se conectaram com suas companheiras de tal modo que, a partir dessas uniões, foram formadas as diversas tribos que compunham a civilização maia.

As tribos, por sua vez, começaram suas próprias jornadas a fim de estabelecerem seu lugar e, principalmente, sobreviverem a uma terra envolta, segundo os mitos e lendas maias, em uma escuridão constante, uma vez que o Sol ainda não havia surgido.

A JORNADA DO POVO QUICHÉ

Após o nascimento e a criação dos quatro homens do milho, e por consequência o nascimento das diversas tribos maias ocorrer, o mundo estava envolto em um abismo translúcido de escuridão.

O Sol não havia ainda surgido nos zênites do céu e as tribos se espalharam pela Terra sob a pouca luz que ainda existia. Dentre essas diversas tribos, que foram ganhando aspectos diferentes de acordo com as suas direções, havia o povo da montanha. Liderados pelos quatro patriarcas da civilização maia – os homens do milho –, o povo das montanhas ofereceu diversos sacrifícios aos deuses, até que depois de não obter nenhum resultado, desceram em Tula, uma cidade local, para obter insígnias de poder, que eram vinculadas a uma das linhagens da Serpente Emplumada.

Lá, Balam Kitzé, que era um dos quatro homens do milho, encontrou-se com o deus Tohil, um dos nomes da Serpente Emplumada, e graças a esse encontro os quichés – nome pelo qual posteriormente os maias se designariam – juntamente com outras tribos, obtiveram do deus a bênção do fogo. Enquanto o povo quiché podia aquecer-se sem preocupação, as demais tribos vieram à procura dos quichés a fim de pegar emprestado um pouco do fogo de Tohil. Sem nenhum escrúpulo, os quichés, em sua *iminência* de ceder seu fogo, viram aparecer diante de seus olhos um mensageiro do inframundo. Seu nome era Xibalda e, diante dos quatro patriarcas, ordenou que eles não emprestassem o fogo, pois essas tribos precisariam pagar um preço aos deuses pelo direito de terem o fogo sagrado de Tohil. Oferecendo pedras preciosas, as tribos voltaram tremelicantes e com as bocas roxas de frio, implorando pelo fogo. No entanto, Tohil, se manifestando através dos quichés, ordenou que as tribos ofertassem em forma de sacrifícios os corações extraídos de alguns de seus membros.

Assim, as tribos que posteriormente receberam o nome de Tamub, Olokab e Qaq Chekeleb se tornaram escravas dos quichés na condição de ofertadores. De todas as tribos, somente Qaq Chekeleb não se sujeitou ao deus e não teve de pagar sacrifícios, mas ainda assim foram aceitos e dispensados do dever da oferta.

Contudo, tudo o que as tribos viam no horizonte era a estrela da manhã (Vênus) nos céus escuros e sem o tão esperado Sol. Até que um dia o deus Tohil lhes disse que precisavam ofertar seu próprio sangue porque o das tribos escravizadas já não bastavam. Em outro momento, Tohil exigiu que os quatro sábios perfurassem suas orelhas, braços, pernas e membros como prova de gratidão para com o deus. Mortos de fome, sem nada para comer e com uma rotina somente de sacrifícios, os quichés partiram das montanhas para outras terras, atravessando o mar vizinho.

O modo como a travessia foi feita não está claro nos escritos do Popol Vuh, no entanto, as tribos peregrinaram sobre rochas quando passagens se abriram pelos mares. Após a chegada às terras distantes e após atravessarem rios, florestas e desfiladeiros, os quichés finalmente receberam o amanhecer do grande Sol como recompensa por toda sua jornada e adoração.

A BUSCA POR COMIDA E O PLANO CONTRA TOHIL

Mesmo agraciados com a luz solar e a presença da representação do astro rei, os quichés tornaram a peregrinar, uma vez que a única coisa da qual podiam se alimentar eram as larvas e as vespas. Graças à escassez de comida e à pouca água que tinham, quando passavam por alguma tribo, raptavam as pessoas que estavam sozinhas ou andando emparelhadas e as sacrificavam a Tohil, deixando pelas estradas a marca de seus sacrifícios em caveiras próximas a pegadas de jaguares. As pegadas eram falsas e feitas somente para enganar os líderes e suas tribos. Quando descobriram, uma revolta se iniciou contra os quichés, mas Tohil mandou uma chuva muito forte para que as pegadas se apagassem e não conseguissem localizar os protegidos do deus.

Porém, com muita astúcia e perseverança, alguns membros das tribos afligidas pelos quichés conseguiram a localização da tribo que tanto havia matado em nome de seu deus Tohil, e que nada havia deixado as outras tribos a não ser um rastro de morte e ossos. Os quichés foram avistados nas margens de um rio que refletia a imagem de seu deus, enquanto se banhavam sem preocupações, e os chefes tribais foram avisados da localização dos sacrificadores e arquitetaram um plano para eliminá-los.

Para tal, duas das virgens mais belas das tribos foram selecionadas pelos chefes para que se oferecessem e tivessem relações sexuais com os membros da tribo quiché, e quando estes baixassem a guarda, elas deveriam atraí-los para o local em que se encontravam os guerreiros que haveriam de castigar os sacrificadores.

Seguindo o plano, as donzelas foram até a margem do rio e lá encontraram apenas três jovens rapazes que possuíam nomes de deuses quichés (não se sabe ao certo se eram realmente os deuses ou apenas homens da tribo). Esses jovens perguntaram às virgens o que faziam ali. Hesitantes, as virgens retiraram seus trajes e nuas se insinuaram de tal modo que as dúvidas cessaram imediatamente na mente dos três jovens deuses. Tohil, sussurrante, alertou os dois outros deuses das intenções das duas moças. Os jovens deuses, então, se recusaram a fornicar com as damas ao perceberem seus planos. As duas virgens, por outro lado, choravam em prantos pedindo clemência aos jovens e explicando que se não fornicassem com eles, seriam mortas ao retornar a suas tribos.

Os três jovens então, em conversa com os quatro sábios, deram às moças vestes com insígnias pintadas pelos quichés, provando que as jovens ficaram na companhia dos sacrificadores, e as mandaram embora. Quando chegaram às suas tribos, as duas jovens foram abordadas por uma chuva de perguntas dos chefes locais, querendo saber tudo o que havia ocorrido. Após as moças contarem, de forma ludibriosa, os mais finos detalhes sobre suas aventuras, os chefes ficaram maravilhados com as vestes dos quichés.

Despindo as jovens, um dos chefes vestiu a primeira manta, feita com a imagem de jaguares, e assim desfilou pelas tribos. O segundo desfile foi com a segunda manta, com as imagens de águias. No entanto, no terceiro manto com as imagens de vespas e tavões, os insetos ganharam vida e, enfeitiçados, mataram o chefe da tribo, picando-o por todo seu corpo. Dessa maneira o plano contra Tohil terminou de forma vã, com o deus se vingando de forma astuta daqueles que pretendiam derrotá-lo.

O TRIUNFO DOS QUICHÉS

Mesmo após o triunfo contra as tribos rivais no episódio das duas virgens, o deus Tohil e a tribo quiché ainda estavam sendo alvos de perseguições e de ataques enquanto peregrinavam pelas terras nas quais outras tribos habitavam. Sem mais planos ardilosos, as tribos inimigas dos quichés, em um conselho, decidiram partir para a guerra aberta contra os sacrificadores, e sem mais espera e nem titubeio, dirigiram-se para o monte Hacavitz, onde os usurpadores de corações estavam. Portando escudos e flechas, os inimigos tiveram de pernoitar em campo aberto, não conseguindo alcançar seus usurpadores antes da caída da noite. Contudo, os quichés desceram silenciosos e esgueirando-se sobre a calada da noite como um bando de jaguares, retiraram dos guerreiros inimigos adormecidos todas as suas posses e todo o seu metal, porém deixando-os vivos.

Transbordando de raiva, os inimigos caminharam rumo à montanha e se depararam com um furioso exército quiché, que ao longe estava enfileirado e adornado com todas as armas e o metal roubado deles.

No entanto, os soldados quichés ornados com os metais não eram nada mais que bonecos de madeira feitos pelos sacrificadores a fim de ludibriar o inimigo, e puxados e controlados pelos quichés, os bonecos se moviam como se fossem de carne e osso. Os quatro homens do milho e suas esposas, bem como todos os seus filhos e descendentes, estavam no alto da montanha e haviam preparado armadilhas em cântaros cheios de ninhos com vespas a fim de lutar contra os inimigos, que ávidos pela vingança se colocaram a escalar a montanha mesmo com a visão do "exército" quiché de bonecos.

Quando alcançaram o topo e viram que os guerreiros eram apenas bonecos, já era tarde, pois os verdadeiros quichés jogaram neles as armadilhas de vespas que, furiosas, acometeram selvagemente os inimigos, que receberam picadas por toda a face, nas suas bocas, línguas, traqueias e narizes, bem como em seus pulmões, até que estes caíssem no abismo da montanha até onde os olhos não os alcançassem. Com a vitória, o povo quiché se assentou na montanha de Hacavitz, onde se multiplicaram e prosperaram. Após muito tempo, os quatro sábios faleceram e deixaram somente um rolo de faixas com um objeto dentro, como uma relíquia sagrada ao seu povo.

Após a escolha dos líderes quichés, que haviam trazido do Oriente em uma grande viagem algumas insígnias de poder de Tula, local de origem dos homens do milho, além da escrita de Tula, ocorreu a morte dos sábios. Suas esposas também morreram logo em seguida, e a descendência dos quatro casais originais prosperou nas montanhas. De fato, são incontáveis as montanhas na qual os quichés e seus descendentes prosperaram, de acordo com o Popol Vuh.

Templo localizado em Tula

2
A SOCIEDADE E O SISTEMA POLÍTICO

COMO ERA A VIDA DOS HABITANTES NOS VÁRIOS REINOS DO VASTO IMPÉRIO MAIA

Civilização culta e letrada, os maias construíram as bases de seu povo não por meio da união em um único império, como seus vizinhos astecas do norte, mas por meio de diversas ligações comerciais e a criação de centros que mais tarde se transformariam em cidades-estados. "Diferentemente dos astecas, seus vizinhos do norte, os maias nunca se unificaram em um único império. Ao invés disso, eles construíram centros comerciais que cresceram em cidades-estados (cidades que funcionavam como reinos separados ou nações) comandadas por reis. Esses reinos formavam alianças uns com os outros em um dia, apenas para virarem inimigos jurados no dia seguinte", conta Jill Rubalcaba na obra *Empires of the maya*.

Mesmo interconectados pelas trocas comerciais, por diversas vezes os maias se enxergavam como rivais, o que resultava em guerras e na captura de prisioneiros. No entanto, toda essa instabilidade não impediu os maias de se transformarem em uma das três maiores civilizações das Américas e em um dos povos mais misteriosos e desenvolvidos do mundo. Entre seus feitos, estão a construção de estradas elevadas que serviam de rotas comerciais, um complexo sistema jurídico que funcionava com tribunais a céu aberto, um amplo sistema de comércio que era a principal característica de diversas cidades-estados, além dos avanços nos campos da literatura, astronomia, matemática e medicina. Durante a ascensão da civilização maia no século VIII, cerca de 60 reinos independentes se espalharam pela área maia, além de centenas de pequenas aldeias e vilas.

A PIRÂMIDE SOCIAL

No topo da pirâmide social maia estavam os reis e governantes. A realeza era responsável por serem os intérpretes das vontades dos deuses, se encarregando que tudo saísse de acordo com o planejado nos rituais e, consequentemente, sendo tratados eles mesmos como figuras que se aproximavam do divino. Abaixo dos reis estava a nobreza, que era formada por uma elite social poderosíssima, que podia exercer apenas funções de prestígio como as de administradores e cargos públicos de alta patente, comandantes militares e sacerdotes, além de serem também em grande maioria comerciantes de artigos de luxo. Arquitetos, artesãos, guerreiros, artistas, fazendeiros e trabalhadores de todos os tipos, bem como comerciantes de menor escala, apareciam como a camada média da sociedade e exerciam profissões de fator decisivo na expansão das cidades. Os cidadãos tidos como pessoas comuns eram os camponeses que realizavam todo o trabalho pesado e constituíam praticamente a base da pirâmide social maia, estando acima apenas dos escravos e prisioneiros de guerra, que eram utilizados como desconto dos tributos cobrados das regiões conquistadas.

OS SACERDOTES

Os cargos religiosos eram dos mais importantes de todas as camadas sociais maias. Equiparados em poder com os nobres, os sacerdotes por diversas vezes exerceram funções ativas e privilegiadas, como participar dos conselhos que auxiliavam diretamente os chefes locais e reis. O principal sacerdote entre os maias eram os Ahuacan, que significa "Senhor Serpente" e eram a autoridade final em questões religiosas e sacerdotais, principalmente ligadas à astronomia, adivinhação, escrita e conservação das diversas informações reunidas nos livros, bem como de sua interpretação dos livros sagrados, além dos festivais e rituais a serem seguidos. Os sacerdotes mais jovens recebiam o nome de Ah Kin, que significa "Servo do Sol". Esse sacerdote recebia a tarefa de checar, descobrir e interpretar as profecias associadas aos 13 Katunes que se repetiam em um ciclo.

Os Chilanes, que significa "Declamadores", eram os sacerdotes responsáveis por passar aos temerosos ouvintes do povo maia as profecias, as sentenças e as advertências dos deuses, como uma espécie de oráculo. "Esses homens eram xamãs-adivinhos que informavam sobre a realidade que descobriam durante as viagens espirituais, ou nas visões religiosas inspiradas pelas drogas que alteravam a mente", conta Charles Phillips na obra *O mundo asteca e maia*. Quatro ajudantes, chamados de Chac's em homenagem ao deus da chuva maia, seguravam o corpo da vítima enquanto estava sobreposto na pedra de sacrifícios para ter seu coração arrancado por outro tipo de sacerdote, o Nacom, que era encarregado de tudo relacionado às práticas de sacrifícios. A função de Nacom era fundamental e uma das mais honradas. O ofício de ser o hábil executor dos deuses era ocupada por esses homens durante toda sua vida. "Desde o início da vida sedentária em terras maias, os sacerdotes se especializaram no conhecimento dos ciclos astronômicos e das mudanças das estações. Converteram-se nos especialistas daquela época, mantendo o controle mediante modelos repetitivos, da vida religiosa, fixando datas para os festivais e sendo os depositários da história dinástica", afirma Charles Phillips em sua obra.

No entanto, os cargos sacerdotais mais importantes, como de alta administração, eram hereditários e transmitidos apenas entre as diversas gerações de nobres. Os sacerdotes maias formavam seus próprios filhos ou os filhos dos nobres mais importantes no ofício e o sumo sacerdote só poderia ser sucedido pelo seu próprio filho ou por um parente de sangue. "Nas terras maias geralmente os filhos dos agricultores, artesãos e comerciantes não podiam optar pelo sacerdócio", completa Charles Phillips na obra *O mundo asteca e maia*.

ORGANIZAÇÃO DO TRABALHO

Entre os maias, o trabalho era organizado principalmente pelo gênero. Aos homens simples cabia o trabalho nos campos e nas plantações, enquanto outros saíam para caçar. Aos homens nobres e de classe média, seu trabalho era feito em prédios administrativos em funções do governo do rei vigente, bem como em suas oficinas, produzindo peças de valor para o comércio e para a troca por mercadorias e afins.

Diego de Landa, frade espanhol que entrou em contato com os maias, em seu livro *Yucatán before and after the conquest*, descreve o trabalho maia como um esforço coletivo e contínuo em prol do povo e de todos os que ajudavam. "Os indígenas têm o excelente costume de ajudar uns aos outros em todos os seus trabalhos. Na época do plantio, os que não têm as pessoas próximas para ajudá-los, se juntam em bandos de 20 mais ou menos, e todos trabalham juntos para completar o trabalho de cada um, tudo feito coletivamente, e não param até que tudo esteja terminado", afirma o frade espanhol em sua obra.

Às mulheres cabia a função de donas de casa. Cuidavam dos jardins das casas, além dos cachorros e perus que eram criados. Elas também exerciam trabalhos manuais, principalmente na confecção de tecidos e peças de roupas para serem comercializadas nos mercados locais. No entanto, as mulheres filhas de nobres e que possuíam uma educação de qualidade nas escolas maias, exerciam profissões de prestígio, como escribas, por exemplo, o que colocava algumas mulheres da sociedade maia em papel privilegiado.

A VIDA COTIDIANA

A vida cotidiana maia era regada a muito trabalho por parte da maioria da população, que era formada por camponeses e pessoas comuns. O dia começava bem cedo para os maias e para os mesoamericanos de forma geral, que sempre se levantavam antes do dia amanhecer. O despertador dos povos da América Central era Vênus, que honrava o seu apelido de estrela da manhã, e quando aparecia no céu dava o sinal para alguns funcionários das cidades maias, que soavam trombetas, acordar a todos. "A maioria se levantava antes do amanhecer, tomava o banho de vapor, comia milho para quebrar o jejum e a seguir se dirigia aos campos, às oficinas ou outros lugares de trabalho com algumas 'tortillas' à mão para comer mais tarde", conta Charles Phillips na obra *O mundo asteca e maia*.

A maioria dos homens, quando não exercia alguma profissão da classe média como artesãos ou guerreiros, trabalhava nos campos e caçava durante horas. Já as mulheres permaneciam em casa, fiavam, teciam e cuidavam de tudo para que seus maridos chegassem em casa e a comida já estivesse pronta. Quando terminavam a estafante jornada de trabalho, os maias voltavam às suas casas ao anoitecer e comiam a refeição mais abundante que tinham em suas dietas. "Alguns relatos sugerem que os trabalhadores, famintos depois de sua jornada, comiam até 20 tortillas durante o jantar", conta Charles Phillips em sua obra.

Após o jantar, iluminavam suas casas com tochas feitas de pinho e, se estivessem dispostos, realizavam mais alguns trabalhos manuais antes de se deitar, para no dia seguinte continuar suas longas jornadas de trabalho.

AS CASAS

As casas maias típicas das pessoas comuns eram extremamente simples e construídas sobre uma plataforma de terra ou sobre alguns escombros. Os nobres possuíam construções nos mesmos formatos, no entanto mais suntuosas e em plataformas mais elevadas. "As casas maias eram construídas para se dormir e como abrigo contra as chuvas fortes e as inundações. Os maias construíram suas casas em cima de plataformas feitas de pedra e terra socada (por baixo). As plataformas eram de cerca de dois pés de altura – altas o suficiente para manter os residentes secos durante enchentes – com degraus feitos em ascensão", conta Jill Rubalcaba na obra *Empires of the maya*.

As construções maias eram feitas com paredes de pedras e blocos de barro ou adobe que, construídos em volta de quatro postes, davam a sustentação para um telhado feito de gravetos ou palha. A média da altura de uma casa era de 10 a 16 pés, ou seja, cerca de 3 a 4,8 metros. "Às vezes, somente a metade mais baixa da parede era feita com materiais de longa duração, como a pedra ou o adobe, e a parte superior era feita com palha ou canas. A casa tinha um ou dois cômodos, se tanto", conta Charles Phillips na obra *O mundo asteca e maia*.

Esse telhado podia também ser feito de folhas planas e com um ângulo de inclinação realmente elevado, o que facilitava que o telhado, mesmo com materiais simples e não muito resistentes, fosse à prova d'água.

Os construtores planejavam, geralmente, realizar três ou quatro dessas construções lado a lado a fim de construí-las ao redor de um pátio central, que as famílias podiam utilizar como área comum. "Em algumas regiões, um grupo familiar podia usar várias pequenas edificações distribuídas ao redor de um pátio central. Numa, guardavam alimentos, ferramentas e materiais; em outra, dormiam; outra era usada como sala; noutra ficava o santuário e em mais outra instalavam a oficina para fabricar ferramentas de pedra", explica Charles Phillips em sua obra.

Nos fundos, as casas possuíam a parte privada, onde eram construídas estruturas para dormir à base de galhos e árvores jovens. Tapetes serviam de colchões e eles cobriam-se com capas para evitar o frio noturno. Alguns aldeãos maias podiam utilizar buracos cavados em suas residências, chamados de Chultunes, para estocar comida e água em tempos de necessidade.

A FAMÍLIA

As famílias maias viviam em harmonia. Mesmo que não passassem muito tempo dentro das casas, que só eram utilizadas para dormir, já que todo o trabalho era feito a céu aberto, as famílias viviam todas em comunidade. As famílias também permaneciam unidas em diversas tarefas dispostas nas praças e pátios centrais. Uma das atividades consistia em cuidar do jardim da casa, que podia render bons frutos, vegetais e outros alimentos a serem utilizados na dieta maia.

Em algumas ocasiões, e dependendo da região, para estreitar os laços familiares, algumas mulheres e suas crianças iam para os campos acompanhar os maridos e permanecer com eles nos campos de milho. Além de estreitar as relações entre as famílias, isso também proporcionava melhor colheita. Algumas vezes, as casas eram construídas ao lado das plantações para esses dois propósitos.

A GRAVIDEZ E O PARTO

A gravidez no tempo dos maias era uma bênção e recebia diversos tipos de cuidados. Quando a mulher grávida ia dar à luz, as parteiras maias rezavam para a deusa Ix Chel, para que a deidade trouxesse um bebê saudável e aliviasse as dores da gestante. Após as orações, a parteira misturava plantas e ervas e produzia uma pomada que tinha funções anestésicas e sedativas, para que a mãe relaxasse.

OS BEBÊS MAIAS

O nascimento de um bebê para os maias era motivo da mais pura alegria. Como eram incrivelmente supersticiosos com relação à hora, minuto e dia do nascimento no calendário, os sacerdotes eram chamados para determinar as forças do bebê, de acordo com os dados de seu nascimento. "Os bebês ganhavam o nome do dia do calendário de 260 dias em que haviam nascido. [...] os maias que falavam yucateco davam a cada bebê quatro nomes: um era escolhido pelo sacerdote, acompanhado de uma cerimônia divina; o seguinte era o nome da família do pai; depois vinham os nomes da família do pai e da mãe, juntos, e por último, um apelido ou nome familiar", completa Charles Phillips em sua obra.

O RITUAL DAS CABEÇAS ESPICHADAS

Existia uma tradição muito importante entre os maias, e que até hoje causa fascínio em todos os estudiosos e curiosos sobre a cultura deste povo, que era o hábito de alongar os crânios dos recém-nascidos, praticado por muito tempo entre os maias. As "cabeças de azeitona" como se vê em pinturas de diversas pirâmides maias, era conseguida graças a pranchetas que, amarradas na parte dianteira e posterior dos crânios dos bebês, comprimiam suas cabecinhas para dar-lhes o formato desejado. Uma das possíveis explicações para esse ritual é que as cabeças deveriam se assemelhar à de Yum Kax, deus do milho, que possuía ele mesmo uma cabeça em formato alongado, parecido com uma espiga.

A EDUCAÇÃO MAIA

O aprendizado nas terras maias não era diferente do utilizado por outros impérios como o dos incas, por exemplo. As escolas maias eram destinadas apenas aos nobres e à elite, e era ensinada a arte da escrita, além das funções de bons governantes e administradores de altas patentes. "A maioria dos maias não eram letrados. Educação era um privilégio reservado para a elite. Escolas tocadas por sacerdotes e nobres eram para as crianças dos sacerdotes e nobres. Aqueles que se mostrassem promissores e fossem bem conectados continuavam seus estudos aprendendo habilidades sagradas – astronomia, mitologia e adivinhação – para realização de rituais religiosos", conta Jill Rubalcaba na obra *Empires of the maya*.

Aos rapazes eram ensinadas danças rituais e técnicas de luta e estratégia militar. Mulheres, filhas de nobres e reis também eram permitidas nas profissões mais altas, não sendo raras assim as presenças de princesas. No entanto, se as escolas fossem puramente masculinas, eram criados centros paralelos para essas jovens.

A educação dos menos privilegiados e das pessoas comuns era feita em casa. Os filhos dos maias mais pobres aprendiam os ofícios dos pais a fim de garantir o sustento de suas famílias.

AS VESTIMENTAS MASCULINAS

As vestimentas masculinas eram mais simples que as femininas. Os plebeus utilizavam um tapa-sexo feito de algodão com aproximadamente cinco dedos de largura, cujo tecido era chamado de "ex". As versões mais elaboradas desses tecidos, com plumas, desenhos geométricos e cabeças de deuses eram usados pela nobreza, que frequentemente utilizava em conjunto um cinto no qual dispunham de placas de jade de algum deus ou máscaras do mesmo material.

Os governantes, por sua vez, usavam sandálias com longas tiras e calcanhares fechados, decoradas com um trabalho artesanal impecável com imagens dos antepassados e dos deuses. "Nas terras maias, a plebe, a nobreza e a realeza usavam as mesmas roupas básicas, embora os mais ricos tivessem versões muito mais elaboradas e ornamentadas", conta Charles Phillips na obra *O mundo asteca e maia*.

A SOCIEDADE E O SISTEMA POLÍTICO

Mulheres maias com vestidos típicos coloridos, na Guatemala

AS VESTIMENTAS FEMININAS

As mulheres utilizavam roupas mais largas, feitas também à base de algodão. Esses vestidos eram chamados de huipil, e em algumas comunidades podia ser uma blusa até à cintura, em conjunto com uma saia, e em outras comunidades podia ser um vestido-saia bem largo com aberturas para a cabeça e os braços. O bispo Diego de Landa havia escrito em seus relatos à coroa espanhola que as mulheres maias, na época do contato com os europeus, utilizavam uma saia simples e uma peça de algodão não muito sofisticada para cobrir os seios. Às vezes elas também podiam vestir algo por debaixo do huipil, ou da saia, com um xale por cima dos ombros. "Na atualidade, ainda há mulheres maias nas montanhas da Guatemala que usam essa blusa huipil. Cada comunidade tem seus próprios desenhos geométricos bordados diferentes", completa Charles Phillips na obra *O mundo asteca e maia*.

O CASAMENTO MAIA

Os maias estavam aptos a se casar assim que chegavam à puberdade. Meninas e meninos estavam prontos para adentrar na vida adulta após atingirem esse período da vida, e passarem por uma cerimônia chamada "Descida dos Deuses". As mães, após os ritos e cerimônias, começavam a instruir suas filhas nas habilidades consideradas fundamentais para uma boa esposa. A esposa ideal, na visão maia, era uma mulher do mesmo nível social e da mesma povoação do futuro marido. A principal característica para essas jovens era ser sempre modesta. Se encontrassem um homem no caminho deveriam dar as costas a ele, para que o mesmo pudesse passar tranquilo e sem ser molestado. A esposa e mulher maia também deveria sempre manter o olhar baixo e nunca direcioná-lo para outra pessoa. Se fosse ao poço buscar água junto a seus primos ou qualquer outro homem, deveria seguir esse hábito.

OS SOLTEIROS

Nas comunidades maias, os homens jovens abandonavam a casa dos pais para viver em um edifício comunitário. Esse edifício era destinado apenas a esses homens solteiros, e ali esses jovens se entretinham com uma rotina de trabalho e diversão. Levavam prostitutas para o edifício e as pagavam com grãos de cacau. Diferentemente dos homens casados, que podiam usar tatuagens, os homens solteiros pintavam seus corpos com tinta preta, a fim de se diferenciar dos comprometidos.

PLANOS DE CASAMENTO

Os planos com relação à cerimônia e ao casamento, de forma geral, era tarefa de um casamenteiro profissional que se chamava Ah Atanzah. O pai da noiva também poderia assumir esse papel. O planejamento do casamento era frequentemente acertado entre as famílias do noivo e da noiva quando estes eram apenas crianças, pelos seus pais. As famílias, a partir do momento em que os filhos estivessem prometidos um ao outro, começavam a agir como uma família única, mesmo que o casamento ainda levasse anos para se consumar.

Era comum as famílias, antes de realizarem qualquer tipo de acordo matrimonial ou promessa de casamento, consultarem os sacerdotes – astrônomos, a fim de assegurar que maus presságios não assombrariam as datas de nascimento de ambas as partes, bem como as datas dos casamentos também. "Casamentos entre primos-irmãos eram permitidos, mas algumas uniões eram tabus. Por exemplo, um homem não podia se casar com uma mulher que tivesse o mesmo sobrenome", conta Charles Phillips na obra *O mundo asteca e maia*.

A CERIMÔNIA E A VIDA DE CASADO

A cerimônia nupcial acontecia na casa do pai da noiva. As mães de ambos os cônjuges teciam finas roupas para serem usadas exclusivamente neste dia, e após o casamento os recém-casados iam para sua nova morada. O ninho de amor podia ser uma casa nova, recém-construída, mas era comum o casal morar no mesmo grupo de casas em que a família da noiva residia, durante pelo menos seis ou sete anos. Era comum também que os sogros se beneficiassem do trabalho dos maridos de suas filhas ao longo desse período de seis ou sete anos. Se o jovem se recusasse a trabalhar, seus sogros tinham o direito de expulsá-lo do grupo de casas de sua família.

Após esse período, o casal passava a morar ao lado da casa do pai da noiva. As cerimônias, a rotina de casados e o número de esposas eram definidas de acordo com a classe social do homem. "Os plebeus tinham uma esposa, porém os mais ricos podiam se casar com várias mulheres. Os membros da elite do período clássico maia de cidades como Tikal casavam-se várias vezes e também tinham relações extraconjugais com concubinas", completa Charles Phillips em sua obra.

DIVÓRCIO E FALECIMENTO

O divórcio era permitido na sociedade maia e não dependia de classe social. Um dos motivos mais comuns para isso acontecer era o simples repúdio e desprezo pela outra parte ou, em outros casos, de ambas as partes. Os filhos pequenos do casal que decidisse se separar ficavam com a mãe, ou se fossem mais velhos ficavam com o pai, dependendo do sexo. "Um homem podia se divorciar de sua mulher caso demonstrasse que ela não podia ter filhos ou não cumpria com certas tarefas, como preparar a comida ou o banho noturno", conta Charles Phillips em sua obra *O mundo asteca e maia*.

Caso um dos cônjuges falecesse, a outra parte deveria ficar de luto por um período mínimo de um ano antes que pudesse se casar novamente. Os viúvos e viúvas não poderiam jamais se casar com os irmãos e irmãs ou mesmo as mães e pais do cônjuge falecido. No segundo casamento, como os rituais de preparação e união eram destinados apenas à primeira esposa, o homem que procurasse se casar com outra mulher deveria visitar a casa dela e, se ela aceitasse a união, deveria preparar-lhe uma refeição.

3
A AGRICULTURA E OS ANIMAIS

COMO ERA O CULTIVO DE ALIMENTOS E A CRIAÇÃO DE ANIMAIS PARA A ALIMENTAÇÃO

Os maias possuíam os mais diversos tipos de culturas agrícolas, por estarem dispersos em uma ampla extensão de terras, e sua produção ia desde o milho, seu principal alimento, até batata, pimenta, sal, abóbora, mamão, abacate e tomate. Regiões diferentes poderiam produzir alimentos diferentes, uma vez que o clima variava de região para região, mas cada cidade possuía sua base alimentar, e graças a isso, as trocas de mercadorias envolvendo alimentos sempre prosperaram. Os agricultores, por sua vez, eram homens do campo, mas que por possuírem um rico conhecimento em plantas, sementes e na semeadura destas, tinham seu trabalho muito estimado por toda a população.

Para plantar, os maias utilizavam um cano oco para escorregar as sementes enquanto este mesmo cano dava conta de cavoucar o solo. As sementes ficavam em uma bolsa lateral que os agricultores carregavam durante o plantio.

A DIETA MAIA

Cidades próximas das costas litorâneas tinham uma dieta rica em peixes e frutos do mar. Os maias que residiam longe do mar tinham de se contentar em comer peixe seco, trazido pelos comerciantes em viagens. Em toda a Mesoamérica, o principal alimento era o milho. Sua preparação requeria muita prática e principalmente paciência. Isso porque primeiro o milho era empapado em lima ou fresno, para depois ser fervido até que sua pele saísse completamente.

Depois de moído pelas ferramentas maias, o milho era transformado em *tortillas*, e podia ser consumido com chile em pó ou mel. Era possível também fazer ensopados de milho que eram misturados com pimentões e verduras, ou até mesmo carne, dependendo da região. "Um aldeão maia se levantava e tomava milho e água no desjejum; depois, ia para o campo com várias bolas de milho moído guardado em folhas. À noite, após ter-se refrescado com um banho de vapor depois das tarefas do campo, comia *tortillas*", afirma Charles Phillips na obra *O mundo asteca e maia*.

Enquanto os nobres maias possuíam uma dieta mais elaborada, e assim escolhiam as carnes e peixes que preferissem, os pobres se alimentavam do que podiam, o que na maioria das vezes eram cervos e perus criados em casa, pássaros ou outros animais selvagens encontrados nas selvas da América Central. "Os maias comiam cervos, perus criados em casa e selvagens, iguanas, tatus, coelhos, caititus (um mamífero parecido com o porco), esquilos, porcos-espinhos, macacos, araras e outros pássaros, além de roedores como a cotia, a paca e, sem dúvida, a ratazana", completa Charles Phillips em sua obra.

TÉCNICAS DE TRATAMENTO DE ÁGUA

Por volta de 700 d.C., os maias criaram seus sistemas de gerenciamento e de contenção de suprimentos de água, que podiam ser utilizados para os mais diversos tipos de necessidades, desde irrigar as colheitas, a utilizar a água como recurso de defesa. Na região dos Cerros, por exemplo, foram construídas valas de drenagem, que além de impedir que o solo ficasse encharcado e houvessem enchentes, serviam como fossos de defesa, uma espécie de proteção extra no entorno de centros sagrados.

Esses projetos, por sua vez, eram tão maciços que despendiam até mesmo um poder real. No entanto, eram construídos por voluntários, uma vez que beneficiavam toda a comunidade, apesar de haver a suspeita de historiadores sobre uma espécie de compensação de taxas e impostos, como conta Jill Rubalcaba na obra *Empires of the maya*. "Alguns trabalhos podem ter sido providos por prisioneiros, embora historiadores não tenham certeza disso."

Em Kaminaljuyú, canais eram cavados próximos de lagos para que fosse feita a irrigação dos campos. Porém, em muitas áreas nas quais lagos e rios eram escassos, os maias cobriam e moldavam as depressões naturais nas pedras calcárias, os cenotes.

Os cenotes eram rodeados e delineados com barro, como uma espécie de escoadouro da água desses locais mais distantes ou mesmo da água da chuva, trazendo-a diretamente para os reservatórios maias, utilizando nada mais do que a inclinação das pedras e a força da gravidade. "Os extensos reservatórios de água feitos pelos homens de Tikal sustentavam água suficiente para fornecer todas as necessidades de mais de 70 mil pessoas durante uma seca de até 120 dias", conta Jill Rubalcaba na obra *Empires of the maya*.

AS PLANTAS NO TRATAMENTO DAS ÁGUAS

Ricos conhecedores dos recursos naturais que possuíam, os maias sabiam como utilizar as plantas a seu favor, não somente para o cultivo das terras, para alimentação ou subsídios, mas sim para auxiliá-los no tratamento das águas.

Os lírios d'água eram amplamente utilizados em seus reservatórios. Isso porque as amplas folhas dos lírios se espalhavam pela superfície da água, minimizando assim a evaporação e conservando a água em seu estado líquido por mais tempo. Além disso, lírios d'água só conseguem crescer em ambientes que possuem água de qualidade, limpa e fresca. Com isso, os maias, além de tratarem a água de forma natural, ainda podiam saber a hora em que o reservatório estava contaminado.

Devido aos seus métodos eficientes para armazenar água, as secas não eram tão problemáticas quanto as enchentes, que causavam alagamento do solo nas planícies e faziam com que as mudas e sementes se perdessem. Já em áreas mais secas, os maias utilizavam pequenos terraços com compartimentos em seus muros para os quais poderiam direcionar a água e retê-la.

TÉCNICAS DE TRATAMENTO DO SOLO

Se por um lado a água não representava um problema para os maias, por outro, os terrenos e campos nos quais plantavam dependiam de um rigoroso sistema de tratamento para que continuassem sempre produzindo. Como técnica para conservar o solo e impedir que se transformassem em piscinas, os maias trabalhavam seus campos para que ficassem sempre acima do nível da água, além de cavar em seu entorno muitas valas que permitiam o escoamento do excesso de água. "Os agricultores faziam canais na terra úmida e amontoavam a terra de forma a criar campos levantados, cruzados por canais de irrigação", afirma Charles Phillips na obra *O mundo asteca e maia*. E completa: "Muitos agricultores já cultivavam alimentos em campos levantados junto ao rio Hondo, em Belize, em 1100 a.C.".

Graças aos esforços maias em busca de seu sustento, foi possível criar vida e tirar alimentos e produções de áreas antes impensadas, como campos agrícolas, como explica Jill Rubalcaba em sua obra: "Por meio da aplicação de uma variedade de técnicas para tirar o máximo de alimentos da produção, os maias foram capazes de se espalhar em áreas que haviam sido consideradas inabitáveis e até mesmo apoiar as populações em crescimento".

Outra técnica amplamente utilizada era a de uma agricultura de corte e queima, que recebe o nome de *swidden* (em inglês), na qual é empregado um sistema de clareiras de uso restrito em que estas são queimadas e utilizadas por um curto período de tempo.

Isso fazia com que os campos agrícolas dos maias, em suas terras menos férteis, pudessem ter uma vida útil de apenas dois a cinco anos. Graças a esse ser um método agressivo ao solo, os campos maias, após o tempo limite de plantação, não poderiam ser utilizados pelos próximos cinco a 15 anos, até que o solo se regenerasse.

Nas terras altas, em que graças ao fluxo de lava e às erupções vulcânicas o solo se tornou muito fértil, o cultivo era realizado de forma ininterrupta, enquanto nas terras mais baixas e tropicais, onde o solo era mais pobre, era necessário fazer esse tipo de método de corte e queima na terra. "Primeiro cortavam a densa floresta com machados de pedra e depois esperavam que as plantas secassem para em seguida queimá-las e dessa forma enriquecer o solo e recobrar a fertilidade. Podiam usar um campo tratado desse modo durante uns três anos, embora depois tivessem de deixá-lo durante oito anos sem cultivar para que a terra se enriquecesse com minerais outra vez", explica Charles Phillips na obra *O mundo asteca e maia*.

Esse pode ter sido também, ainda de acordo com os costumes apresentados na obra de Charles Phillips, um dos possíveis motivos para que os maias estivessem sempre em êxodo de região para região, uma vez que muitos agricultores que utilizavam esse método depois se mudavam para outras localidades.

CACAU, O TESOURO MAIA

O cacau é o segundo produto mais importante desenvolvido em terras maias, perdendo somente para o milho. Os maias aproveitavam esse recurso natural de forma tão produtiva que não só as sementes do fruto, mas a polpa também era utilizada para a produção de derivados e da bebida achocolatada que é largamente consumida no mundo hoje. O cacau e o chocolate, por sua vez, eram tão importantes que somente a nobreza e os mais altos escalões da sociedade maia poderiam usufruir da bebida, justamente por ser considerada uma "bebida dos deuses".

Naquele tempo já era possível encontrar a bebida em diferentes variações, como é o caso do cacau amargo e doce, aromatizado com essência de baunilha, o cacau com frutas, o cacau misturado com milho e a sua forma exótica, em que ele era misturado com pimenta. A bebida maia se difere da atual versão que consumimos hoje apenas pelo fato de que a bebida original era feita à base de água, e não de leite.

Entre as mais diversas utilidades do chocolate, estava a confecção de bebidas para festejos oficiais da nobreza e a utilização de medicamentos graças às propriedades calmante e tonificante do cacau. Os guerreiros apreciavam muito a bebida graças à energia que ela agregava aos lutadores durante as batalhas. Além disso, era utilizada como afrodisíaca por recém-casados e como creme para tratar queimaduras, feridas e até mesmo dores de reumatismo.

BALCHÉ, A BEBIDA SAGRADA

Os maias possuíam, assim como os astecas, uma bebida sagrada chamada balché. Extraída da árvore de mesmo nome, a bebida é feita à base do sumo da árvore e fermentada com mel e água, possuindo assim teor alcoólico baixo. Comumente utilizada para fins religiosos e festividades, seu consumo ocorria em larga escala pelos maias por conta da necessidade de alcançar certo estado de embriaguez para a realização dos rituais e cerimônias.

Os maias acreditavam que ao chegar a esse estado de embriaguez, podiam entrar em contato com forças do inframundo e, com isso, poderiam conversar com antepassados, animais totêmicos e até mesmo com os deuses a fim de receber conselhos e ensinamentos. Graças a essa crença, os rituais eram sempre feitos em cavernas, o que dava aos maias a falsa segurança de que a conexão com o inframundo seria mais forte, uma vez que as cavernas são tidas como entradas desse plano inferior.

Outra bebida achada nas descrições críticas do padre Diego de Landa sobre os hábitos maias foi a chi, uma bebida feita da fermentação do sumo da planta de mesmo nome. As duas produziam um efeito totalmente atordoante e por vezes deixava os maias muito violentos, ocorrendo até mesmo assassinatos depois do consumo dessas essências. "Os comensais bebiam até que se havia instalado um tumulto generalizado. [...] as mulheres tinham muito medo quando seus maridos retornavam bêbados para casa", afirma o frade em uma de suas descrições.

4

A ECONOMIA E O COMÉRCIO

OS PRODUTOS MAIS VALIOSOS, OS ANIMAIS COMERCIALIZADOS, AS ESTRADAS E SEUS SIMBOLISMOS

Os maias não possuíam uma moeda como nos dias de hoje, sendo difícil colocar a economia maia em termos quantitativos da forma que economistas fazem com as sociedades modernas. No entanto, os comerciantes colocavam em prática o hábito do escambo e até mesmo do pagamento de taxas, o que garantia o funcionamento da economia maia. Como uma classe emergente, os comerciantes surgiram como uma evolução da sociedade.

Enquanto os nobres compartilhavam de imenso poder e influência e eram responsáveis por comercializar a longas distâncias, outros eram responsáveis pelos trajetos mais curtos. Não há um nome específico para esses comerciantes que realizavam suas transações a curtas distâncias, no entanto, esses pequenos empresários eram responsáveis por colocar em circulação uma ampla gama de mercadorias. Em geral, essas mercadorias eram adquiridas em suas viagens ou mesmo produzidas por viajantes ambulantes, que podiam agir como granjeiros, tecedores, ceramistas e fabricantes de ferramentas.

A NOBREZA COMERCIANTE MAIA

Os maias não tinham uma rede de comerciantes profissionais como seus contemporâneos, os astecas, mas possuíam um comércio tão poderoso quanto. Subsidiado pelos grandes senhores maias, o comércio atingiu níveis que nunca antes se havia esperado na Mesoamérica. O comércio a longas distâncias era sempre realizado pela nobreza. Entre eles podiam estar ricos nobres, ou mesmo governantes de alguma cidade, o que de certo só aumentava a influência da elite maia em relação a outras cidades-estado. "A princípio, o objetivo principal do comércio de longa distância pode ter sido o de aumentar o poder e o prestígio da elite. Presentes exóticos eram trocados entre famílias reais, e isso consolidava as relações. Associações com reinos distantes e poderosos aumentavam o status de um rei. Itens raros vindos de longe glorificavam os rituais realizados por padres e pela realeza", explica Jill Rubalcaba na obra *Empires of the maya*.

É sabido que em Mayapán, por exemplo, durante uma invasão, todos os comerciantes e consequentemente governantes e nobres da cidade morreram durante o ataque, exceto por um único sobrevivente que estava fora, para uma negociação. "Desde tempos remotos, o comércio a longa distância era dominado por uma elite autoritária e rica por toda a Mesoamérica", conta Charles Phillips na obra O mundo asteca e maia, e ainda completa: "O comércio era o elemento vital para o desenvolvimento".

O poder da nobreza como comerciantes era tamanho, que esses governadores podiam decidir sobre as trocas e a distribuição de bens, bem como estavam sempre presentes na criação de leis e outros decretos que controlassem o comércio, como explica Jill Rubalcaba em sua obra: "Os governantes das capitais e cidades controlavam a troca e a distribuição do comércio de mercadorias. Leis ditavam quem poderia utilizar roupas de luxo, como peles de jaguares, ou quem poderia consumir bebidas especiais como o chocolate, e que artesão poderia esculpir monumentos de pedra".

OS MERCADOS MAIAS

Os mercados maias estavam presentes em diversas cidades. Situados em praças, os mercados contemplavam uma larga variedade de comércios que eram montados ao ar livre para promover uma melhor circulação de pessoas. Algumas praças eram destinadas apenas a esse propósito, outras praças possuíam áreas divididas por zonas, algumas para comércio e outras para a população, o que variava de cidade para cidade. "Estas praças foram projetadas com a negociação em mente. Caminhos levavam às praças e acomodações confortáveis estavam disponíveis para comerciantes estrangeiros. Assim como as pessoas fazem hoje, os antigos maias apreciavam seus mercados ao ar livre. Eles não eram apenas lugares para fazer compras, mas também para socializar e trocar ideias", explica Jill Rubalcaba em sua obra.

Ainda que as coisas fossem, de certa forma, pacíficas no mundo maia e principalmente em seus comércios, não era possível confiar em todos. Nem todos os compradores podiam confiar nos comerciantes e vice-versa. Um grande exemplo disso foi que, durante algum tempo, os maias utilizavam sementes de cacau como moeda. Em algumas circunstâncias, em ambas as partes, as pessoas vendiam suas mercadorias em troca dessa moeda, porém recebiam sementes de feijão com muita sujeira ao invés das verdadeiras sementes. Hoje, isso equivaleria a comprar mercadoria com dinheiro falso.

O cacau era tão valioso como moeda, que o explorador espanhol e responsável pelo domínio dos astecas Hernán Corez, em uma carta enviada à Espanha, explica que as sementes eram importadas

das terras maias e não eram achadas em outros territórios, e que seu poder de troca era tamanho, que com 100 sementes de cacau podia-se comprar um escravo.

Porém, essa moeda de troca feita à base de cacau não era o ponto principal das negociações, pois os maias podiam trocar serviços por mercadorias também. "Uma mulher pode trocar um dia de tecelagem por um pescado. Um homem pode dar uma mão à construção de uma casa em troca de uma faca de obsidiana", completa Jill Rubalcaba na obra *Empires of the maya*.

Esses mercados locais eram um dos motivos pelo qual as cidades maias cresciam tanto. Um grande exemplo desse crescimento era a cidade de El Mirador, que funcionou como um importante centro comercial entre 300 a.C. e 150 d.C.

Os comerciantes e negociantes de mercadorias de El Mirador possuíam grandes mercados em praças abertas, tão grandes que muitos vizinhos maias e de outras tribos viajavam à cidade a fim de realizar bons negócios. Isso, por sua vez, gerou um crescimento populacional muito forte, o que acarretou a vinda de diversos tipos de pessoas, que ao trabalharem na cidade, construíram alguns dos monumentos maias de maior prestígio de toda a história. "Uma

Estrutura situada em uma das grandes praças de Copán, que tempos atrás abrigava os mercados maias

multidão de artesãos contribuiu para a construção desta enorme metrópole – astrônomos, arquitetos, engenheiros, artistas, carpinteiros, pedreiros e operários. Os astrônomos posicionavam os prédios importantes alinhados aos movimentos do Sol e da Lua. Construtores levantavam os edifícios em pedra e artistas decoravam eles com máscaras de estuque de deuses e reis", explica Jill Rubalcaba em sua obra.

OS PRODUTOS VENDIDOS

Entre os diversos produtos vendidos pelos maias, estavam as cerâmicas, os tecidos, as plumas, os produtos agrícolas, o mel e até mesmo escravos. Os nobres, por exemplo, por sempre comercializarem os bens mais valiosos, usufruíam de certo prestígio.

"Por aportar riqueza à comunidade e comerciar com mercadorias seletas, como plumas, peles de jaguar e facas para sacrifícios – necessárias para as cerimônias religiosas –, os comerciantes começaram a usufruir de prestígio religioso", comenta Charles Phillips em sua obra. O cacau era um dos produtos mais valiosos que os maias podiam trocar. Isso porque, além das suas propriedades medicinais, de acordo com as crenças maias, era uma das bebidas dos deuses, e por isso só poderia ser consumida por um grupo seleto de maias. Outro produto tão valioso quanto o cacau era o mel. As abelhas localizadas nas regiões maias não possuíam ferrões, o que facilitou em muito a coleta do mel, que podia ser misturado ao milho e a outros alimentos para uma dieta mais rica e balanceada.

Para garantir um abastecimento regular de mel para o povo, os maias criaram colmeias artificiais feitas à base de troncos ocos, que tinham uma pequena abertura para a entrada e saída das abelhas.

Outro importante produto maia trocado em seus mercados era o sal. Era produzido em largas quantidades e obtido por meio da água salgada dos mares, que era fervida em recipientes até que a única coisa que sobrasse fossem os resíduos de sal. O sal branco das salinas ao norte de Yucatán era o preferido da nobreza. Os produtores de sal coletavam a água do mar em panelas rasas e as deixavam ao sol. Depois que a água evaporasse, o sal era recolhido.

Todos esses produtos possuíam importâncias diversas, dependendo das classes sociais ou mesmo da região em que eram comercializados. Outros tipos de produtos que podiam ser trocados entre os maias eram a obsidiana, joias, roupas e objetos de cerâmica.

AS RELAÇÕES DE MERCADO NA MESOAMÉRICA

A mecânica que envolvia as relações de troca na Mesoamérica não era das mais simples. Alguns povos possuíam recursos que outros necessitavam e, graças a isso, as relações de mercado eram sempre plurais e variadas. A rede de trocas comerciais era ampla e possuía diversos mecanismos. Para a elaboração das metates (as pedras tabuladas para moer o milho) eram necessários os blocos de pedra vulcânicas das montanhas maias em Belize. Já para a confecção de armas e outros instrumentos cortantes, Teotihuacán possuía o monopólio da obsidiana verde, rocha de origem vulcânica, que por sua vez era a mais apreciada em toda Mesoamérica.

Os maias nas terras altas da Guatemala detinham o domínio de algumas fontes de obsidiana, sobretudo as variantes cinzentas, mas não se comparavam em valor com as de Teotihuacán. Já o jade era importado em quantidades limitadas da bacia do Motagna. Os pigmentos necessários para a confecção das tintas dos artistas maias vinham de diversos locais, enquanto o sal vinha em grandes quantidades da península de Yucatán.

Conchas, carapaças de tartarugas do mar, pérolas, corais e outros produtos marinhos eram objetos realmente atrativos, mas provinham apenas da região onde estes recursos existiam. Com isso, é possível ter uma ideia geral de como as relações de mercado na Mesoamérica e principalmente entre os maias se dava. Cada região possuía sua determinada riqueza, muitas vezes fazendo desta um monopólio. No entanto, esses produtos eram largamente comercializados entre os maias, o que deixava todos esses recursos circulando de forma livre e permanente entre os territórios do império. "Das terras altas do sul exportavam-se plumas de quetzal, jadeíta, serpentina (silicato), pirita e obsidiana. As peles e dentes de jaguar, valiosos por seu uso em cerimônias, eram exportadas das terras baixas da região central, bem como as plumas de papagaio e arara. Das áreas costeiras da região sul chegavam dentes de tubarão, coral, moluscos marinhos e espinhos de arraia, utilizados para as extrações de sangue nos ritos de sacrifício, além de cacau. O sal era trazido das costas de Yucatán", completa Charles Phillips na obra *O mundo asteca e maia*.

O TRANSPORTE DOS PRODUTOS

O transporte desses produtos era um assunto muito delicado, já que grande parte deles era muito pesado para ser transportado manualmente, e outra parte era perecível demais para percorrer grandes distâncias. Não há dúvida de que os mesoamericanos conheciam a roda. Pesquisadores já descobriram projetos de rodas e rodinhas minúsculas em pequenos brinquedos feitos de madeira, em sítios arqueológicos maias. Contudo, os maias só a utilizavam para a confecção de brinquedos e outras peças de lazer, graças à geografia da região. Os solos instáveis e os terrenos íngremes não possibilitavam a utilização da roda.

Outro fator que dificultou em muito a vida dos maias foi a falta de animais de transporte, fazendo a ligação do povo maia com os animais ser mais mística e espiritual do que propriamente utilitária. "Não há dúvida de que os mesoamericanos sabiam como fabricar rodas, pois foram encontrados brinquedos com rodas em túmulos, mas não a usaram para o transporte. Isto se deveu, em parte, ao fato de não disporem de muitos animais de tração e, além disso, muitas áreas da Mesoamérica não eram aptas para o transporte sobre rodas", explica Charles Phillips na obra *O mundo asteca e maia*. Com isso, era frequente a utilização de carregadores. Homens treinados trabalhavam como carregadores de mercadorias e constantemente viajavam em grupo para evitar possíveis emboscadas e garantir que os produtos chegassem ao seu destino. Para carregar, posicionavam os produtos em volta de suas cabeças ou fixados por várias cordas aos seus peitos, aumentando a estabilidade corporal e permitindo um transporte mais rápido e com menos danos aos materiais.

OS TESOUROS MAIAS

Assim como para os incas as roupas eram mais valiosas, ou tão valiosas quanto o ouro, para os maias os tesouros eram o milho e o cacau como os dois alimentos mais importantes, ao lado do jade e da obsidiana.

O jade é um dos minérios mais utilizados nas artes maias, seja na confecção de peças e adereços, seja em uma simples escultura. Hoje, o jade é chamado de "o ouro verde dos maias", segundo historiadores. "A substância mais valiosa do mundo maia era o jade. [...] A dificuldade de se trabalhar com o jade, somada com a dificuldade de encontrar essa pedra preciosa, fez dela um alto e valioso recurso", explica Jill Rubalcaba na obra *Empires of the maya*. Na América Central, o jade é encontrado sob a exclusiva forma da jadeíta, e era tão raro que os maias produziam peças misturando a jadeíta com pedras esverdeadas para que tomassem volume. No entanto, é comum se referir a todas as peças maias com esse tom como sendo de jade.

Sua cor esverdeada é outro motivo para o alto valor que esse minério teve entre os maias. "Os maias apreciavam o jade fundamentalmente pela sua cor verde, que era a cor da vegetação e do milho florescente, julgando essa pedra superior, tanto em beleza quanto em valor, ao próprio ouro", conta A. S. Franchini na obra *As melhores histórias das mitologias asteca, maia e inca*. O poder associado a essa pedra podia tomar até mesmo proporções medicinais. Uma pequena pedra de jade poderia facilitar a respiração daquele que tivesse dificuldade se fosse fixada no nariz da pessoa, como uma espécie de piercing. A explicação dos maias para isso é que a pedra exalava um aroma úmido e fresco, que arejava as vias respiratórias e limpava os pulmões.

Comumente essa pedra é ligada a uma espécie de alento da alma, conferindo assim poderes espirituais a ela. O jade tomava proporções espirituais também nos rituais maias. Era comum a pedra ser utilizada em oferendas fúnebres, simbolizando a imortalidade por ser um dos materiais mais resistentes da natureza, e por diversas vezes foram encontrados pedaços pequenos de jade nos dentes dos mortos, com o objetivo de facilitar seu ingresso no além. Outro motivo de o jade estar junto aos mortos era pelo mito da criação, que segundo as crenças maias, nos primórdios do mundo havia três pedras nos fundamentos da terra, e esse gesto era repetido nas tumbas, com três pedras de jade.

O jade talhado com a figura de flores representava o símbolo máximo da realeza maia e colocava o soberano no mesmo patamar que a árvore do mundo, considerando o rei maia como o centro do universo, assim como a árvore seria.

O AÇO MAIA

Assim como o jade, a obsidiana foi uma das mais fundamentais pedras do mundo maia. Isso porque representa um dos materiais mais duros e resistentes de toda a natureza. Hoje, historiadores se referem a ela como "o aço dos maias". Seu endurecimento vinha do resfriamento dos minérios que eram expelidos da crosta terrestre após as incontáveis erupções vulcânicas que ocorriam em eras remotas a das civilizações na **Mesoamérica**. "A geografia da **América Central** se caracteriza, entre outras coisas, pela presença de **uma** grande quantidade de vulcões, alguns deles ainda hoje em atividade", explica A. S. Franchini na obra *As melhores histórias das mitologias asteca, maia e inca*.

O principal objetivo da coleta e do trabalho em obsidiana era a confecção de joias e objetos para rituais. No entanto, por ser um dos minérios mais resistentes da natureza, os maias também o utilizavam para a produção de armas de guerra, como porretes com lâminas afiadas e lanças.

Os principais depósitos de obsidiana se localizavam nas terras altas da Guatemala, e de lá ela era transportada para diversas regiões da América Central pela ampla rede de comércio maia.

Por ser um minério que não existe em abundância na natureza, outros substitutos eram utilizados, como é o caso do sílex, outra variedade de rocha vulcânica, que embora fosse menos resistente, era mais acessível àqueles povos.

A REDE DE TRIBUTOS MAIAS

Os tributos maias são uma pequena porção do que acontecia nas cidades maias, em especial nos mercados ao ar livre. Lá a população pagava os tributos referentes às trocas comerciais, que por sua vez eram recolhidos por oficiais do governo. Esses tributos eram pagos na forma de produtos ao rei como um modo de agradecê-lo pelo seu apoio. Esse hábito veio desde a era pré-clássica dos maias e era uma forma da cidade captar recursos também. "Durante a era pós-clássica, mercados cheios de vida eram patrocinados por reis nas praças das cidades. O rei pegava sua parte de cada troca – uma espécie de imposto sobre as vendas, o que proporcionava uma renda para o reino. Algumas praças eram apenas mercados, com seus próprios oficiais patrulhando a área, não apenas para manter a paz, mas também para coletar a parte do rei", conta Jill Rubalcaba na obra *Empires of the maya*.

Os comerciantes maias que governaram Chichen Itza e Mayapán foram responsáveis pela construção de redes tributárias. Em Mayapán, produtos como algodão, copal, cacau, mel e perus podiam ser usados para o pagamento dessas taxas. Outro tipo de tributo era pago pelos conquistados de guerra, que não podiam permanecer em seus postos após serem derrotados. Como pagamento, os militares maias incorporavam as mulheres dos inimigos mortos às suas próprias famílias.

AS ESTRADAS MAIAS E SUAS LIGAÇÕES

A fim de preservar sua grande rede de comércio e facilitar a troca de culturas, mercadorias e a mobilidade entre as cidades-estado, os maias construíram uma série de caminhos elevados, conhecidos como sacbeob (ou sacbé, se for no singular, de acordo com o dialeto maia). A maioria dos caminhos foram construídos durante a era clássica maia, em torno de 800 d.C. Regiões como Yucatán, por exemplo, possuíam redes de caminhos que cobriam mais de 100 quilômetros.

Cobá, outra região maia, era ligada a Yucatán e a Yaxana por essa mesma rede de 100 km e se encontrava em uma localização privilegiada. Nela existia a intersecção de mais de 43 caminhos, e alguns deles até levavam ao porto marítimo de Xelhá. "Esses caminhos pavimentados facilitavam as comunicações e as travessias dos comerciantes, além de fortalecer, de uma forma sólida, as alianças políticas entre as cidades", conta Charles Phillips na obra *O mundo asteca e maia*. Tradicionalmente, as medidas desses caminhos eram de 4,5 metros de largura por 2,5 metros de elevação acima do nível da terra. Os caminhos podiam ser alterados dependendo da região, como no caso de Uxmal e Kabah, que mantinham um caminho de 4 metros de altura e mais de 18 quilômetros de extensão.

A técnica utilizada para aplicar o cimento pelos maias era surpreendentemente moderna para a época. Mais de 15 trabalhadores empurravam uma compactadora rudimentar de cinco toneladas sobre os caminhos para o acabamento da superfície. "Os caminhos se estendiam sempre em linha reta e depois faziam um giro repentino para mudar de direção, caso fosse necessário", conta Charles Phillips na obra *O mundo asteca e maia*.

O SIMBOLISMO DAS ESTRADAS

Os maias possuíam uma profunda ligação com o sagrado, e isso também era refletido na construção de suas cidades, em especial suas estradas. Cidades como Tikal, por exemplo, tinham um traçado totalmente enigmático em suas configurações: o norte era o reino do sobrenatural, dos antepassados mortos que subiram ao céu, e o sul era a representação do mundo inferior.

Sendo assim, as estradas serviam não só de ligação para os povos que transitavam pelas cidades maias, mas também como divisão simbólica entre mundos e histórias das mais ricas crenças maias. Isso também explica a colocação do jogo de bola, que sempre situado entre o norte e o sul das cidades, representaria uma entrada para o mundo inferior. Os caminhos tinham também o propósito de conectar diferentes áreas simbólicas e enfatizar o traçado.

Vários povoados afastados também podiam ser beneficiados por esses caminhos que os ligavam ao centro das cidades principais. Em caracol, por exemplo, sete caminhos de aproximadamente oito quilômetros direcionavam as pessoas das zonas residenciais até as praças e ao centro da cidade.

O TRANSPORTE MARÍTIMO E FLUVIAL

O transporte marítimo e fluvial também era, junto às estradas, uma das principais vias de transporte de mercadorias e suprimentos entre as cidades e os povoados. Caracterizavam uma ampla economia em termos de tempo e conservação dos produtos, graças à rapidez que proporcionavam. Carnes, produtos do dia a dia e perecíveis só podiam ser comercializados em mercados próximos. Nesse contexto, o uso das canoas para o transporte de alimentos permitiu que eles chegassem mais longe. Cisternas subterrâneas comunitárias e celeiros de adobe com telhados de colmo, uma cobertura vegetal construída de junco e folhas de palmeira, eram utilizados para estocar o milho.

Em geral, os maias utilizavam pequenos botes feitos de madeira com bordas mais elevadas, chamadas de pirágua. Existiam três rotas principais dentro dos territórios maias. Duas das principais rotas comerciais eram fluviais e marítimas. A primeira ligava através de diversos canais as terras baixas de El Petén, e a outra acompanhava a costa de Yucatán. Geograficamente situados em posição estratégica entre os mercados e as matérias-primas da América Central, e tendo nas proximidades localidades mexicanas como San Lorenzo, Teotihuacan, El Tajín ou Tenochtitlán, os maias tiveram um papel preponderante para os fluxos do comércio de longa distância.

OS PESCADORES E SUAS FERRAMENTAS

Os maias que residiam no litoral e nas zonas que suportavam a criação de peixes tinham a função de pescadores e contavam com uma variedade de peixes e outras criaturas marinhas que faziam parte da dieta de seu povo.

Entre os peixes mais consumidos estavam o pescado, o camarão, a lagosta e algumas conchas. Em outras regiões maias, os pescadores eram responsáveis pela captura de moluscos e caracóis, além de sapos, em rios e lagos. Os peixes eram conservados salgados, de forma que poderiam ser transportados para localidades distantes, e lá comercializados, podendo durar anos. Tais alimentos eram uma iguaria muito admirada pela elite estrangeira.

Os maias também foram responsáveis por criar, em uma série de lagos artificiais, algumas pisciculturas em que diversos tipos de peixes e moluscos de água doce eram introduzidos em canais, que podiam se situar em campos também, para que o excedente fosse pescado. Tanto na costa quanto no interior, nos rios e lagos de água doce, peixes e mariscos eram uma parte importante da dieta dos maias. Entre as técnicas empregadas na captura desses peixes, estavam as redes, que carregavam pequenos pesos de cerâmica em suas extremidades para que tivessem força suficiente para segurar os peixes.

Também eram utilizadas varas de pescar com ganchos feitos à base de ossos no final de suas linhas. Após o período Pós-clássico, os maias começaram a pescar com ganchos feitos de cobre com iscas em suas pontas.

Após um bom dia de pescaria, os maias agradeciam aos deuses, principalmente os deuses Ah Kak Nexoy, Ah Pua, Ah Cit e Dzamal Cum, que eram as respectivas divindades da pesca.

AS TÉCNICAS DE CAÇA

Os caçadores maias variavam suas técnicas de caça dependendo de suas presas. Para caçar veados e jaguares eles usavam lanças, arcos e flechas, ou mesmo armadilhas com mecanismos de corda, geralmente para enlaçar os animais. Para capturar crocodilos e outros animais de maior porte, como o peixes-boi, eram utilizadas redes mais resistentes. Já para capturar codornas, aranhas, macacos e outros animais de mesmo porte, eram utilizadas zarabatanas, instrumento no qual os maias eram extremamente hábeis. Das zarabatanas, pequenas e velozes bolas de argila eram lançadas para matar macacos, araras, guaxinins e outros animais que viviam no alto das árvores.

Para caçar tatus e antas, os maias cavavam buracos e os cobriam com galhos a fim de disfarçar as armadilhas e confundir os animais. Armadilhas também eram montadas para a captura de tartarugas, iguanas e araras. Embora os maias fossem exímios caçadores, para eles, derramar o sangue dos animais era um pecado mortal e, por isso, sempre após o derramamento os maias imploravam perdão aos deuses.

IMPORTÂNCIA DOS ANIMAIS

Os maias tinham uma profunda relação com os animais. O misticismo já se inicia com um de seus principais deuses, Kukulcán, que é a versão maia de Quetzalcoatl, a deusa Serpente Emplumada asteca. As águias e as aves eram muito importantes. A principal ave maia era o quetzal, que era comercializada pelas suas penas. Quem matasse um quetzal no mundo maia era punido com a pena de morte.

Os cães também eram apreciados pelos maias. Assim como os astecas, os maias possuíam um cão sobrenatural em suas mitologias, e este podia transitar livremente entre os caminhos obscuros do inframundo, como se fosse uma espécie de Cérbero da Mesoamérica. Na mitologia grega, o Cérbero é o cão de guarda de Hades, de aspecto monstruoso, com três cabeças, que guardava a entrada do reino subterrâneo dos mortos, deixando as almas entrarem, mas jamais saírem e dilacerando os mortais que por lá se aventurassem. Os maias não mantinham rebanhos de ovelhas ou gado, e o cachorro era seu único animal domesticado. Eles também atraíam perus e cervos com milho para facilitar sua caçada.

Os caracóis, assim como as borboletas, eram reverenciados pelos maias como símbolo da morte e da ressurreição, graças a sua forma espiralada. As abelhas e os peixes também eram muito respeitados dentro das crenças indígenas da América Central.

5
OS CRIMES E AS LEIS NO MUNDO MAIA

AS LEIS QUE REGIAM A SOCIEDADE, AS PUNIÇÕES PARA OS CRIMES E AS GUERRAS

As punições para os crimes e as leis na sociedade maia variavam de acordo com a classe a que a pessoa acusada ou subjugada pertencia. As leis eram extremamente diferenciadas entre as pessoas comuns e a nobreza. Esse sistema, que possuía diferentes pesos e medidas, não tornava o julgamento e a vida em sociedade mais justa, mas sim colocava em evidência as diferenças de classe dentro da própria sociedade e deixava claro a que posição as pessoas pertenciam, evidenciando as diferenças sociais entre diferentes grupos.

Dentro da sociedade maia havia diversos tipos de leis. Leis para crimes violentos, leis para roubo e furto e até mesmo leis de vestimenta. Se, por exemplo, uma pessoa comum fosse pega utilizando joias feitas de conchas ou pele de jaguar, seria severamente punida, por esses serem tesouros exóticos reservados somente ao uso da nobreza. Na maioria dos casos, se o crime fosse leve e reversível, como um roubo, por exemplo, os funcionários públicos realizavam a audiência com as partes envolvidas para resolver os conflitos de maneira pacífica.

INVENÇÃO ESPANHOLA

Muitos especialistas não têm certeza se as leis maias existiram de fato ou se foram inventadas e recontadas de maneira diferente pelos espanhóis quando estes tiveram contato com a cultura ameríndia séculos atrás.

Isso porque grande parte das leis descritas em documentos históricos remontam à época pós-clássica, quando os maias já caminhavam para uma cultura mais isolada, e até hoje não se sabe se o contato com os espanhóis modificou alguma dessas referências reais vividas pelos maias.

AS PUNIÇÕES PARA OS CRIMES

As punições para os diversos tipos de crime também variavam de acordo com a classe social. Nobres recebiam penas mais brandas do que as pessoas comuns. No entanto, dependendo do crime, as penas aplicadas a esses nobres eram um tanto quanto drásticas. Se um nobre assassinasse um escravo, o nobre mal era punido, e seu crime não passava de uma transgressão leve perante a sociedade maia. No entanto, se um escravo matasse um nobre, era um crime muito sério e passível de punição com as penas mais altas.

Já no caso de roubo e desonestidade, a punição para os nobres era muito mais intensa do que para as pessoas comuns. "Por exemplo, se uma pessoa comum roubava alguma coisa, sua punição era pagar a pessoa que foi roubada. Se ele não pudesse fazê-lo, ele se tornava um escravo até o débito ser quitado. Mas, se um nobre roubasse, sua punição seria ter sua face inteira tatuada. Um olhar e já estava claro em quem se podia confiar ou não", conta Jill Rubalcaba em sua obra.

As punições variavam não só com a classe social da pessoa, mas também de acordo com o sexo. No caso de adultério, uma mulher que traísse seu marido era punida com a humilhação pública e com a vergonha, enquanto um homem seria punido com a morte. A morte era uma punição apropriada no caso de adultérios, incêndios criminosos ou mesmo estupro. Porém, as famílias das vítimas tinham o direito de participar da decisão dos juízes, e por isso podiam exigir outras penas ao invés da morte, como o pagamento de indenizações, por exemplo. Se um marido ou uma mulher não quisessem que seu cônjuge fosse punido, mas sim perdoado, tinham o poder para fazê-lo. Ainda assim, a pena de morte era uma das diversas soluções para os crimes.

A morte poderia ser aplicada jogando uma pessoa do penhasco, por meio de estrangulamentos ou mesmo esmagando sua cabeça com objetos pesados como pedras e rochas. A intenção, nesta última, seria a de quebrar o pescoço do culpado ou esmagar seu crânio. Em caso de crimes violentos, o réu era apedrejado até a morte, flechado ou mutilado. Criminosos podiam ser sacrificados em rituais ou eram assassinados da mesma forma que seus crimes originais. Em todos os casos, os oficiais da cidade eram os juízes. A vítima e o acusado se apresentavam em frente ao juiz, que deveria se manter imparcial mesmo recebendo presentes, que eram comumente dados a essas autoridades. Eles eram responsáveis por aplicar as penas apropriadas a cada tipo de pessoa e a declarar quem era culpado e quem era inocente. As penas mais brandas eram aplicadas a crimes mais brandos e, de forma geral, um simples corte de cabelo curto já faria a pessoa ser olhada com diferença pelos demais, principalmente entre as mulheres.

OS SOLDADOS E O EXÉRCITO MAIA

De modo semelhante à cultura asteca, o exército maia era feito por homens comuns, já que os nobres eram incumbidos de tarefas administrativas ou de cargos mais altos dentro da hierarquia militar. Agricultores, pescadores e outros homens que já haviam ingressado na vida militar compunham as fileiras dos exércitos maias, que variavam de acordo com a localização da cidade-estado. Entre os maias Quichés que viviam nas terras altas da Guatemala, as pessoas comuns ficavam de fora dos altos cargos administrativos e do governo. Contudo, é importante deixar claro que os maias possuíam seus exércitos e realizavam suas incursões militares assim como todos os diversos povos da Mesoamérica naqueles tempos, porém a expansão de seus territórios se deu mais pelo comércio do que pelos exércitos.

A ARISTOCRACIA MILITAR

Era comum que os ricos comerciantes fossem parte do governo e da nobreza pelo seu grande poder e influência, além das constantes viagens que eram necessárias para a realização de sua atividade. A aristocracia maia também recebeu papéis fundamentais dentro do governo e da administração da sociedade maia, que por vezes podia se refletir no exercício de outras funções, como chefes e líderes militares, sacerdotes ou governantes. No período clássico, a alta nobreza das cidades maias era constituída pelos militares, administradores e comerciantes de alto nível.

Os nobres eram chamados de Ahauab, e eram vistos como os descendentes dos fundadores Quichés. Longe de qualquer tipo de mitologia, essa aristocracia vinha originalmente dos comerciantes maias putunes que migraram das terras baixas mexicanas, próximas à Costa do Golfo.

No entanto, essas funções e a classificação desses aristocratas militares eram feitas com base em suas ascendências. Organizados em grupos de acordo com sua ascendência de um pai comum, os Ahauab davam origem a governantes, líderes militares, sacerdotes e administradores.

VESTIMENTAS DE BATALHA

As vestimentas de batalha eram definidas de acordo com a posição dentro da hierarquia militar. De modo geral, as roupas militares apresentavam grande mobilidade para os guerreiros, visto a necessidade de eles terem movimentos amplos e livres. Os soldados maias lutavam em tropas e iam vestidos de forma simples para conseguir a mobilidade necessária. Para tal, utilizavam camisetas de algodão e tapa-sexo. Vez ou outra usavam capas.

Já os nobres e guerreiros de patente maior utilizavam outros tipos de adereços que reforçassem seu status social e seu poder dentro da própria sociedade maia, como capacetes com plumas e joias de jade. O rei, que dentre tantas figuras ilustres no campo de batalha representava o comandante supremo, ia para a guerra com roupas do mais fino trato, que podiam variar em elegância, como uma túnica de jaguar, que era o símbolo da realeza maia. No entanto, o rei parecia ser um personagem mais decorativo do que propriamente combativo, além de ser protegido por lutadores de elite.

A HIERARQUIA JURÍDICA E MILITAR

A força militar e os sistemas políticos maias eram regidos por uma série de funcionários que por sua vez obedeciam a uma hierarquia de postos, assim como nos tempos modernos, a fim de estabelecer a ordem de comando nos campos de batalha e nas cidades. O chefe dos militares recebia a denominação de Sahal e, normalmente, era designado pelo próprio rei da cidade-estado, que colocava alguém de confiança no cargo, como um parente próximo. Como já descrito anteriormente, ao rei cabia a decisão de nomear, de acordo com sua vontade, quais membros da nobreza seriam os chefes militares, quais seriam os responsáveis pela fiscalização do pagamento de impostos e quais seriam os juízes. Era comum na sociedade maia o rei nomear para os mais altos cargos seus parentes, sobrinhos, primos e irmãos, mantendo tudo em família. Os juízes locais, e também governantes, eram chamados de batabs. Cada batab governava mediante um conselho de dois ou três homens. Decisões sobre questões regionais apenas seriam aprovadas por unanimidade.

Como juízes, mantinham uma rotina cuidadosa e de constante fiscalização dos tributos pagos ao rei. Eram acompanhados por dois ou três ajudantes que eram chamados de Ah Kulelob, que faziam a sociedade cumprir suas ordens. Como conselheiros pessoais, os batabs trabalhavam de modo estrito com um nacom, um nobre que cumpria o cargo de especialista militar durante um período de três anos. A posição era de alta patente e muito respeitada, o que exigia algumas regras mais severas. Durante esse período era-lhe exigido levar uma vida sóbria e no celibato, sem contato com nenhuma mulher, e inclusive os que o servissem deviam ser homens.

Outro cargo jurídico e administrativo que recebia muita atenção era a posição de Ah Holpopob, uma espécie de casa do conselho que reunia uma série de especialistas bem informados sobre o mundo estrangeiro e sua interação com os maias. Já os assuntos diários e outras discussões envolvendo povoados de pequeno porte ou mesmo o julgamento e apuração de pequenos crimes eram feitos pelos Tupiles, que seriam os oficiais da lei incumbidos desses pequenos locais.

É importante deixar claro que estas não eram as únicas funções dentro da hierarquia jurídica e militar dos maias. Funções secundárias ou mesmo que não possuem muitos registros também eram desempenhadas. Já foram identificados, por exemplo, serviços como orador, ou oficial de recepções, que seria uma espécie de embaixador, encarregado de receber importantes visitantes estrangeiros aos reinos maias.

Representação de batalha maia feita por grupo folclórico no México

6

A RELIGIÃO MAIA E SEUS DEUSES

ASSIM COMO EM MUITAS CULTURAS ANTIGAS, OS MAIAS ERAM POLITEÍSTAS E ACREDITAVAM QUE OS ACONTECIMENTOS ESTAVAM LIGADOS AOS DEUSES

Assim como em muitas culturas antigas não só da Mesoamérica, mas também do mundo, os maias praticavam o politeísmo. O povo maia adorava muitos deuses e deusas e acreditavam que diversos fenômenos naturais e outros acontecimentos estavam conectados com esse panteão místico. Eles acreditavam nos significados divinos de todos os fenômenos naturais, num universo sagrado cujas regras haviam sido estabelecidas em tempos sagrados.

Sabe-se que em tempos pré-históricos os habitantes daquelas regiões tinham como primeiro culto a adoração à fertilidade da terra. Os habitantes da América Central modelavam estatuetas de barro femininas, que eram consideradas representações de uma deusa da fertilidade arcaica. Tempos depois foram dados pelos maias e pelas diversas culturas irmãs na Mesoamérica significados divinos a todos os fenômenos, o que fez com que os maias adorassem diversos deuses e deusas que regiam fenômenos que podiam voltar-se contra eles, e de maneira destrutiva, como terremotos, por exemplo.

Devido a essas catástrofes, a vida na Mesoamérica era vivida de forma intensa, e o relacionamento com o mundo tomava um patamar especial. As forças da natureza eram colocadas como uma energia invisível, mutável e que transpassava até mesmo pelas veias dos seres humanos. Rochas, árvores, montanhas, Sol, Lua, estrelas e todas as criaturas que vivem, até mesmo os seres humanos, possuíam uma essência sagrada e um poder invisível, em diferentes níveis. Os maias acreditavam que essa essência sagrada que animava tudo e todos estava diretamente conectada a nós pelo sangue. O K'uh (que significa sacralidade) corria no sangue humano, o que tornava um pecado haver o derramamento de sangue que não fosse em rituais aos deuses.

OS DEUSES MAIAS E SUA CLASSIFICAÇÃO

Antes dos historiadores modernos conseguirem decifrar os diversos glifos maias, as figuras dos deuses pareciam incertas e despertavam a curiosidade e a confusão na mente dos pesquisadores que não conseguiam colocar nomes nas criaturas do imaginário maia. A solução dos estudiosos da época foi nomear os deuses de acordo com as letras. As letras, por sua vez, iam de acordo com o alfabeto romano moderno e servem até hoje como referência para a catalogação e descoberta de novas divindades.

ITZAMNÁ

Principal divindade da mitologia maia, Itzaminá é governante do céu e da terra, criador da escrita e do calendário. Na língua maia, Itzamná significa "casas de lagartos".

Diferente de outros deuses de outras mitologia, em relação à Itzamná não é dito nada sobre violência ou guerra. Ele era representado como um pássaro no céu, ou como um velho escriba na terra, e os maias colhiam o orvalho para suas cerimônias religiosas pensando ser as lágrimas de Itzamná.

De acordo com as pesquisas e descobertas arqueológicas, Itzamná era conhecido como "Senhor dos Céus, da Noite e do Dia" e de acordo com as lendas foi o inventor dos rituais religiosos, da escrita e dos livros.

Sua aparência é descrita como sendo um velho encurvado, narigudo e desdentado que possuía o dom da escrita e por vezes adotava um temperamento benévolo. Algumas descrições afirmam que Itzamná era estrábico e possuía olhos quadrados e bochechas afundadas.

Muitas lendas o citam como o criador do universo, no qual assumia a forma de Hunab Ku. Outro tipo de avatar que Itzamná assumia era o de Kinich Ahau, e dizem que dessa forma podia se transformar em um jaguar celeste.

Hunab Ku é tido por alguns pesquisadores como o pai de Itzamná e é considerado como o deus primordial de toda a existência. No entanto, não está claro se essa ideia foi fabricada pelos espanhóis a fim de introduzir nos maias um conceito de deus supremo e criador de tudo.

"Mesmo sem haver qualquer referência a Hunab Ku em fontes pré-colombianas – a mais antiga só surge no século XVI –, a tese do 'deus único' foi divulgada pelos missionários e, nos tempos modernos, encampada pelos adeptos da chamada 'Nova Era'", conta A. S. Franchini na obra *As melhores histórias das mitologias asteca, maia e inca*.

Outras vezes, Itzamná aparece sob a forma de um falcão ou de uma serpente. É comum confundir a serpente com um dragão, pois ela possuia asas e duas cabeças. Uma delas simbolizava a vida, associada ao nascer do Sol, e a outra, a morte, ligada ao pôr do Sol.

Uma das formas de homenageá-lo era recolhendo o orvalho das árvores e o acúmulo nas folhas e utilizar o néctar como água sagrada nos rituais religiosos em honra a ele. Parte dessa tradição nasceu, pois o prefixo itz de seu nome significa "orvalho" na língua quiche. No entanto, o itz podia significar também o espírito sagrado de todas as coisas.

Itzamná era casado com a deusa da Lua e do arco-íris Ixchel e possuía, graças a seu matrimônio sagrado, quatro filhos. Estes filhos eram chamados de Bacabs e permaneciam espalhados pelos quatro cantos do mundo. A tarefa dos Bacabs era sustentar os céus, além de auxiliar os maias com previsões climáticas e agrícolas. Em alguns casos os Bacabs também podiam curar doenças, apesar de grande parte do trabalho ser feito pelo seu pai, Itzamná. Não era incomum para os deuses maias terem vários papéis e funções diferentes.

CHAC

Chac é um dos mais importantes deuses do panteão maia justamente por controlar um dos elementos mais fundamentais e necessários à vida de toda a sociedade maia, a chuva. Comumente é interpretado como a versão maia de Tlaloc, um dos deuses astecas de maior prestígio.

"Chak é um dos mais antigos deuses maias. Talhos em lápides datadas de 2.200 anos atrás mostram Chak realizando dois papéis. Em uma lápide, Chak é retratado como um gentil deus da chuva, trazendo-a dos céus e trazendo peixes dos rios. Em outra, Chak é um deus guerreiro agressivo balançando seu machado", conta Jill Rubalcaba na obra *Empires of the maya*.

Na maioria das figuras, Chac é representado com duas presas enormes e um nariz anormal e comprido, que às vezes é confundido com uma tromba de elefante. Chac possuía também escamas e barbatanas. O deus da chuva era frequentemente representado empunhando um raio, um machado ou uma serpente. Parte humano, parte réptil, ele era dotado de escamas pelo corpo, além de largas presas e bigodes de cobra.

O machado portado por Chac era o símbolo universal do trovão. Com esse mesmo machado, reza a lenda que Chac espancava uma serpente cheia de água que carregava nas suas costas. Deus ligado à agricultura, Chac frequentemente dava demonstração de força. Certa vez, ao ver os homens implorarem por comida, cravou seu machado com força numa montanha, rachando-a em duas. De dentro da montanha, emanou uma quantidade farta de espigas de milho.

Chac, assim como a maioria dos deuses do panteão maia, se desdobra em mais do que uma figura, podendo assumir diversas aparências que, por sua vez, eram modificadas de acordo com a cor de sua representação. Os maias acreditavam que cada avatar de Chac representava um ponto cardeal, e que cada ponto possuía uma cor. Por exemplo, o Chac do leste é vermelho enquanto o do oeste é negro, o do norte é branco e do sul é amarelo. Assim, cada Chac específico recebia a culpa quando ocorriam enchentes ou chuvas torrenciais destrutivas, por estar "irado". Ainda assim, Chac é tido pelos maias como um deus benévolo na maioria dos casos.

Uma das formas de acalmar o deus das chuvas era realizando sacrifícios em nome dele em locais considerados sagrados para esta divindade, como os cenotes, que eram grutas aquáticas que os maias acreditavam ser relacionadas ao deus, mas que na verdade eram apenas desabamentos naturais do solo.

Escultura de Chac, um dos mais antigos deuses da civilização maia

YUM KAX

Primo do deus asteca Centeotl, Yum Kax é alcunhado pelos maias como o senhor das florestas e o deus do milho, sendo um dos deuses mais populares reconhecidos pelo povo ameríndio, já que o milho era o principal alimento da cultura maia.

Tomava uma proporção ainda maior pelo fato de os deuses terem usado o alimento do qual Yum Kax é guardião como material base para cunhar o homem e forjá-lo para se tornar o que era na sociedade maia.

A divindade é representada por um jovem esbelto que leva uma espiga de milho em sua cabeça. O aspecto alongado de espiga também era apresentado pela própria cabeça do deus, o que representava um grande padrão de beleza para a cultura maia. Por vezes a figura do deus aparecia decepada, no melhor estilo mesoamericano, pois a vida e a germinação estavam ligadas à morte, de forma indissociável. Com isso, uma estranha prática era feita em homenagem a Yum Kax. As pessoas tiravam o próprio sangue com espinhos, colocavam em vasilhames de proporção mediana e o depositavam na porta de suas casas. Os maias acreditavam que, deixando sangue à disposição do deus, Yum Kax garantiria uma boa colheita e agraciaria o povo para que nunca faltasse milho.

KUKULCÁN

Esse deus tem uma importância singular dentro da cultura maia por ser o deus da Serpente Emplumada, uma das principais deidades da Mesoamérica e que, na cultura asteca, é representado pelo deus Quetzalcoatl, cujo nome possui o mesmo significado. Divindade benévola, reza a lenda que após ter caído em desgraça na cidade de Tula, local onde era um rei e sacerdote muito poderoso, o deus asteca Quetzalcoatl teria migrado para terras de domínio maia, nas quais se instalou sob a forma de Kukulcán.

"Essa versão, contudo, é problemática, uma vez que as duas serpentes emplumadas diferem radicalmente de temperamento, pois enquanto Quetzalcoatl – ao menos na sua encarnação tolteca – se apresenta como um deus pacífico e inimigo dos sacrifícios humanos, o Kukulcán maia se revela um deus guerreiro e promotor de hecatombes sangrentas", conta A. S. Franchini.

Chichén Itzá foi uma das cidades maias que mais recebeu cultos a Kukulcán. Nessa época, durante os séculos X e XII d.C., os toltecas invadiram as terras maias e colocaram em prática o culto à estrela da manhã (Vênus).

Mesmo associado ao planeta, o deus era uma das divindades mais antigas de toda a Mesoamérica e recebia diversas denominações, como Tohil ou Gukumatz, por exemplo. Ainda assim, muitos estudiosos têm dúvidas sobre o elemento que Kukulcán regia. Alguns afirmam que Kukulcán seria o deus dos ventos e várias lendas são firmadas em cima desse conhecimento. Outros já colocam o vento como um elemento que seria uma extensão dos domínios do deus Chac, conhecido como o deus da chuva pelos maias.

AH PUCH

Ah Puch toma a forma do deus da morte para os maias e, como costume de diversas culturas mesoamericanas, sua figura era representada nos glifos como uma caveira. Senhor supremo dos nove inframundos, era o deus supremo da morte e regia todas as desgraças do mundo. Ao contrário do bonachão Itzamná, Ah Puch é uma deidade francamente malévola, artífice de desgraças que culminam sempre com a maior de todas, que é a morte.

Sua descrição combina com sua face. Seu tronco e seus membros eram recobertos de carne em tons escuros e por vezes cheias de pintas, o que remetia a um corpo em decomposição. Seu dorso e suas costelas eram completamente expostos, enquanto ornamentos feitos de cobra prendiam seus cabelos e eram utilizados como colares.

KIMI

Agindo como outro deus da morte, Kimi era representado sempre como um deus pequeno e de aspecto repulsivo e com características amorfas, como uma barriga anormalmente alargada. O deus se tornou extremamente popular no período pós-clássico, apesar de alguns estudiosos ainda terem dúvidas sobre quem era essa divindade. Os maias creditavam a ele uma personalidade má mas simplória, a quem podia se enganar facilmente, como os heróis gêmeos fizeram ao se deparar com os deuses do Xibalba.

A esse deus eram oferecidos sacrifícios, assim como a todos os deuses infernais, mas em particular esse deus recebia o sacrifício K'ex, que era feito com os corações das vítimas ou mesmo com bebês. Esses últimos eram sempre representados nas pinturas rituais dentro de templos com feições de jaguares. Esses bebês-jaguares foram diretamente herdados da cultura Olmeca, que também os oferecia a suas divindades.

De todo modo, após a chegada dos espanhóis esse deus caiu em desrespeito e chacota pelos europeus, que o chamavam de Kisim, que significa "o peidorreiro" em espanhol, graças a seu hálito fétido associado à putrefação dos corpos e à morte.

Kisim era o deus da morte e decadência e viveu no submundo. Era desenhado pelos antigos maias apenas com os ossos das costelas, crânio e dentes expostos, sem carne nenhuma, ou com a carne putrefata, feridas e barriga inchada, em alusão a um cadáver em decomposição. Sua cabeça era adornada com cordas repletas de globos oculares formando coroas, ou servindo de pulseiras ou tornozeleiras.

Era comum esse deus andar com seu fiel mascote, uma coruja. As corujas eram tidas como criaturas do mundo inferior pelos maias pelo fato de caçar à noite e possuírem a habilidade de ver no escuro. Lendas maias descrevem as corujas como mensageiras que voam entre os inframundos e o mundo humano.

IXTAB

Ixtab era uma das deusas maias mais reverenciadas e populares nos tempos áureos da sociedade mesoamericana. A única diferença que ela tinha dos outros deuses é que ela não era deusa de nenhum elemento natural, mas sim dos suicidas. Parte dessa popularidade advinha do fato de os suicidas fazerem parte de uma classe de pessoas com status privilegiado no paraíso maia.

O suicídio na época maia era muito mais comum do que nos tempos modernos, graças a essa crença de que o suicida teria uma existência superior e abençoada ao lado dos deuses adorados, fazendo do ato não uma forma de fugir dos desgostos da vida terrena, mas sim de alcançar um patamar mais elevado.

Matar-se era considerado um ato nobre e digno das mais altas recompensas dentro da sociedade maia, porém o autor do nobre ato deveria recolher seu prêmio do outro lado. Muito pouco se sabe sobre a deusa dos suicidas, graças aos esforços espanhóis em destruir diversos registros maias. No códice de Dresden, por exemplo, é possível vislumbrar a deidade pendurada em uma forca, com uma mancha redonda na face e os olhos cerrados, simbolizando a morte e a putrefação.

Em nada surpreende que essa deusa era também associada ao deus da morte Ah Puch como sua esposa.

VOTÁN

Votán, cujo nome original era Oolt'an Balam, significa na língua quiche "Jaguar que fala com o coração", e era para a sociedade maia um dos deuses mais temidos por estar associado ao mundo subterrâneo e consequentemente aos terremotos.

É importante deixar claro que graças ao seu nome diferenciado e ao descaso das diversas autoridades europeias e espanholas ao entrarem em contato com a cultura maia, seu nome já foi confundido diversas vezes, sendo até mesmo associado a deuses nórdicos, como conta A. S. Franchini em sua obra. "Um dos 'cavalos de batalha' prediletos dos defensores da tese da colonização viking nas Américas é esse deus autenticamente maia, cujo nome original, Oolt'an Balam ('Jaguar que fala com o coração'), chegou a se assemelhar, por mero acaso, ao de Wotan, a versão germânica do Odin dos vikings".

Votán ficou conhecido graças ao frade Ramón Ordoñez y Aguilar, que relatou o deus em sua obra *Theologia de las culebras*, na qual é citado o título maia desaparecido *La probanza de Votán*.

Entre os feitos mais incríveis da divindade está a fundação de Palenque, uma das mais importantes cidades maias de todos os tempos. Acreditava-se que Votán sustentava a Terra em seus ombros enquanto estava escondido nas profundezas do mundo. Os terremotos eram uma consequência de seu árduo fardo. Ao sustentar o planeta, vez ou outra o deus se mexia, o que provocava os abalos sísmicos que os maias conheciam e temiam.

EK CHUAH

Chamado pelos maias de "Chefe da Guerra Negra" ou "Escorpião Negro", Ek Chuah é um dos deuses mais citados dentro dos códices maias e foi responsável por algumas das maiores calamidades que modificaram o mundo. Uma dessas calamidades foi promovida por Ixchel, a deusa das enchentes, ao qual ele se juntou para promover o caráter destrutivo da obra. Ele geralmente se apresenta com a cor negra, que para os maias seria a cor da guerra, e com seu lábio inferior pendido.

Entre as representações mais comuns do deus, ele possui uma cauda longa de escorpião que sempre se ergue quando a divindade se coloca de joelhos flexionados, em posição de batalha. Uma das mãos carregava um escudo e na outra, erguia sua poderosa clava feita de sílex. Diferente da maioria das divindades, Ek Chuah não se rege pelo maniqueísmo, mas é dotado também uma face construtiva e útil, expressa na figura de patrono do cacau e de deus dos mercadores e dos viajantes, assemelhando-se a um mascate, carregando um fardo às costas.

IXCHEL

Essa deusa também era associada aos elementos naturais. Identificada geralmente pela sua associação com a Lua, o amor, a tecelagem, a maternidade e até mesmo a medicina, Ixchel era a deusa do arco-íris.

Mesmo ligada a todos os elementos que representassem a benevolência dentro da sociedade maia, a deusa também possuía seu lado obscuro, quando também era associada a enchentes. Algumas lendas maias afirmam que essa deusa também foi a responsável pelo dilúvio que provocou a extinção de um dos sóis de eras anteriores. Quando associada com desastres e enchentes, a deusa é descrita pelos maias como uma idosa de semblante azedo e asqueroso, que despeja o conteúdo de odres (sacos feitos de pele de porco para reter líquidos) imensos sobre a Terra.

Sua semelhança com o deus Coatlicue, outra divindade asteca, era tremenda pelo fato de levar sobre a cabeça uma touca feita de serpente. Suas unhas das mãos e dos pés tinham o formato de garras, como as do jaguar, outra criatura que faz parte do imaginário mítico maia, e sua saia tinha ossos humanos como ornamentos.

Muitas vezes, dentro do imaginário maia, a deusa também tomava o formato de um coelho, por estar sempre associada à Lua e suas crateras lembrarem o formato do animal. Segundo as lendas, a deusa Ixchel também seria a esposa de Itzamná e graças a isso seus atritos com o deus eram constantes. A separação de Ixchel e Itzamná não foi das mais pacíficas, e dizem que o deus deixou sua esposa zarolha em uma cruel luta, o que explicaria porque a lua brilha menos que o Sol para os maias.

De acordo com as crenças, ambos subiram aos céus, Itzamná sob a forma do Sol e Ixchel sob a forma da lua. A ilha de Cozumel,

Representação de Ixchel

situada na costa leste da Península de Yucatán, abriga um dos mais famosos locais de culto dessa deusa.

BULUC CHABTAN

Assim como Ixtab, Ah Puch e Kimi, este é mais um deus de cunho desagradável no panteão maia, que por diversas vezes foi utilizado para justificar atrocidades envolvendo prisioneiros de guerra e vítimas de sacrifícios. Buluc Chabtan é considerado o deus da morte violenta e das hecatombes sangrentas e foi criado para honrar a prática do sacrifício humano.

Suas representações em estátuas e glifos apresentam-no como um deus impiedoso todo pintado de vermelho, enquanto segura com as duas mãos um grande coração humano. Entre as diversas histórias de Buluc Chabtan, o deus entrava nas casas junto com a deusa da morte Ah Puch para incendiar as residências com uma tocha.

Era graças a esse deus que os sacerdotes, em seus rituais de sacrifício, pintavam o corpo das vítimas atordoadas e arrancavam seus corações, lambuzando-se de sangue e elevando o músculo humano em direção ao ídolo de pedra e ao Sol.

HURACÁN

Na língua quiché, Huracán significa "Um-Perna" e era considerado um dos deuses mais importantes do panteão maia, tendo tomado parte na criação do mundo junto com Kukulcán e, portanto, sendo um dos deuses criadores descritos no Popol Vuh. Assim como outros deuses que eram responsáveis por mais de um tipo de elemento, além da criação, Huracán era tido como o deus das tempestades, e segundo o códice de Madri, seu nome foi a palavra adotada pelos conquistadores para nomear o furacão.

"Huracán, no entanto, não era só o deus das tempestades, mas também o deus do fogo, e foi ele quem, combinando os seus dons, destruiu a primeira raça humana por meio de uma tempestade de lava", conta A. S. Franchini em sua obra. Com um longo nariz e um espelho na testa, sua aparência se assemelha com a do deus asteca Tezcatlipoca, que significa para os astecas Senhor do Espelho Fumegante.

O sincretismo mesoamericano fez dos dois, ao mesmo tempo, deuses da criação e da destruição, já que graças a suas características físicas e elementares, era por diversas vezes associado às duas coisas, sendo símbolo dos ventos e das tempestades.

XAMAN EK

Um dos deuses mais queridos pelos maias, o Xaman Ek era o "Deus da Estrela Polar", e era responsável por guiar e mostrar o caminho a diversos mercadores e viajantes que trafegavam pelas estradas maias na escuridão. Xaman Ek está associado ao ponto cardeal norte, que é o da estrela polar, a estrela preferida dos viajantes. Isso porque nos céus da península maia, essa estrela pouco muda de posição durante o ano todo e permanece nítida durante a noite, servindo de guia aos viajantes.

Com uma aparência estranha e sem semelhança nenhuma com os astros, o deus é descrito pelos maias possuindo uma face de macaco cheia de pintas negras e com um nariz largo e desproporcional. Mesmo com sua aparência peculiar, o deus é benévolo e não é relacionado a nada de degradante ou ruim. Por diversas vezes é citado em registros como sendo ligado à natureza e estando, em alguns casos, acompanhado pelo deus da chuva, Chac.

7

A ESCRITA MAIA

EXTREMAMENTE COMPLEXA, FOI UMA
DAS MAIS DIFÍCEIS DE SEREM DECIFRADAS
PELOS PESQUISADORES

A escrita maia é, sem dúvida, uma das mais complicadas do mundo e uma das mais difíceis de serem compreendidas. É possível que na sociedade maia apenas um quarto da população soubesse ler e escrever. Apesar disso, muitos sabiam interpretar as inscrições e o que elas representavam, mesmo sem ter tido um ensino formal da leitura e escrita. "[...] muitos outros podiam admirar as realizações artísticas dos ah its'ib enquanto lhes era explicado o significado das palavras. Entre a elite, ser literato era uma questão de orgulho", conta Charles Phillips na obra *O mundo asteca e maia*.

A decifração da escrita maia é tão problemática que chegou a ser considerada, ainda em meados do século XX, como um problema insolúvel. Hoje, artefatos como pedras sagradas, estuque, madeira, códices, vestimentas e até mesmo cerâmica podem ser encontrados contendo a linguagem maia por todo o México, El Salvador, Guatemala, Honduras e Belize. O sistema de escrita e a linguagem maia, mesmo sendo um desafio para o século XX, hoje já está no caminho para ser totalmente decifrada. Aproximadamente 75% de todos os textos maias conhecidos já podem ser lidos com fluência pelos especialistas.

AS ORIGENS

As origens da escrita maia ainda são imprecisas, contudo o sistema de hieróglifos foi desenvolvido diversos séculos atrás e antes mesmo do esplendor dos maias, por civilizações como os olmecas. Os olmecas, por sua vez, como desenvolvedores de um dos mais antigos sistemas de escrita de toda a Mesoamérica, utilizavam imagens literais, ou seja, pictografias, apesar de alguns estudiosos afirmarem que o sistema olmeca tenha se desenvolvido completamente em sua época. "Os estudiosos não podem dizer com certeza onde e quando a escrita maia começou. Mas isso não significa que a escrita foi importada de outro lugar", afirma Jill Rubalcaba na obra *Empires of the maya*.

De fato, o sistema maia teve seus primeiros passos com a escrita, datada da metade do período pré-clássico, o que corresponde aproximadamente ao ano de 300 a.C. Com o passar do tempo, o sistema foi se tornando mais completo e sofisticado sendo acrescentado a diversos monumentos. Uma das possíveis explicações para a falta de evidências que apontem uma data precisa aos pesquisadores pode ser conferido na obra de Jill Rubalcaba, *Empires of the maya*, na qual ela explica que a palavra maia para o verbo "escrever" vem do verbo "pintar". Sendo assim, se os primeiros esforços dos maias em desenvolver seu sistema de escrita tiverem sido pintados em superfícies e depois lavados, isso explicaria a falta de evidências físicas da evolução da escrita maia.

A GRAMÁTICA MAIA

A gramática maia evoluiu com o tempo, e muitos estudiosos afirmam ser uma evolução da gramática dos olmecas. O sistema gramatical maia é composto por hieróglifos que podem ser pictográficos (representam objetos reais ou ações), ou símbolos que representam uma ação (e que podem indicar também adjetivos, preposições, plurais ou números).

Não obstante, existem hieróglifos fonéticos, que combinam sons. Outros indicam uma ideia ou um conceito e, nesse caso, a língua maia se assemelha a algumas línguas orientais. Existem mais de mil símbolos diferentes na escrita maia, e em apenas um parágrafo podem ser encontrados entre 300 e 500 símbolos. Apesar de só existirem cinco vogais e 19 consoantes na língua maia, existem mais de 200 tipos de combinações silábicas para formação de palavras.

RETOQUES INDESEJADOS

Os maias não escreviam apenas em materiais que poderiam ser destruídos facilmente ou que fossem perecíveis. Escreveram em cavernas, em estelas (pedra ou coluna erguida com inscrições), em construções e até mesmo nas pirâmides, que hoje carregam memórias vivas nos diversos glifos deixados por aquele povo.

Após pesquisadores como John Lloyd Stephens e Frederick Catherwood realizarem suas pesquisas de campo e copiarem os desenhos em suas pranchetas, inúmeros outros pesquisadores vieram atrás das maravilhas esquecidas. Com isso, é preciso ficar atento para os desenhos, já que muitos deles foram retocados por artistas e muitos desenhos colhidos no local passaram pelas mãos de pesquisadores que se predispunham a "enriquecer" o material original. Um dos casos mais marcantes é o do conde de Waldeck. Estudioso e excêntrico, ao realizar cópias das pinturas de Palenque, adicionou por conta própria alguns "glifos decorativos", além de suprimir outros detalhes, o que deixou a obra original com elementos inexistentes e totalmente despropositados.

A DESTRUIÇÃO EM MASSA DE DIEGO DE LANDA

Quando Diego de Landa (1524–1579), um frade a serviço da coroa espanhola e da igreja católica, chegou à península de Yucatán em 1544, tanto os nativos quanto a própria família real espanhola não podiam imaginar o tamanho da destruição que aquele homem causaria. Diego de Landa veio ao "Novo Mundo" para catequizar e evangelizar os nativos, não tendo assim autoridade para nada mais além disso. No entanto, ao se deparar com as escritas maias e suas representações dos diversos deuses em glifos, templos e outros locais, ficou horrorizado. Obcecado em estabelecer uma limpeza cultural e a apagar completamente os costumes e os rituais dos nativos, Landa propagou a ideia de que os livros maias difundiam crenças pagãs e assim destruiu, durante os anos que esteve presente na América Central, cada exemplar de literatura que pode encontrar.

A caça aos livros foi tamanha que foram destruídas obras que continham informações sobre toda a pesquisa maia nos campos da medicina, astronomia, matemática, bem como obras históricas sobre as cidades e seus governantes. "Landa queimou mais de 5 mil imagens maias e dezenas de livros maias que ele acreditava serem trabalhos do diabo. Livros escritos pelos maias sobre medicina, astronomia, religião e história foram todos queimados", conta Jill Rubalcaba na obra *Empires of the maya*.

Após sua caça às bruxas nas novas terras do rei, o próprio monarca condenou as ações de Diego de Landa e ordenou que este voltasse à Espanha para que fosse julgado pelo abuso de poder empregado por um simples frade da igreja católica sobre os nativos ameríndios. Durante seu julgamento, porém, foi considerado inocente após uma série de defesas feitas com base na obra *Relación de las cosas de Yucatán*, na qual o próprio frade descreve, mediante suas observações, o povo maia e sua cultura, costumes e crenças. "Ao mesmo tempo que Landa foi responsável por apagar os próprios contos históricos maias, ele também é responsável por muito do que se sabe sobre os maias hoje. Suas informações foram baseadas em suas próprias observações e extensas entrevistas com o povo maia. É importante lembrar que o livro foi escrito por alguém que respeitou aquilo que os maias tinham alcançado, mas estava enraivecido pelas suas crenças religiosas", conta Jill Rubalcaba em sua obra.

Essa raiva sentida por Diego de Landa pode ser vista em sua obra, que mostra todo o ódio sentido pelo frade em seus detalhados relatos sobre a cultura maia: "Encontramos entre eles um grande número de livros com estas letras e como não continham nada que estivera livre das suas superstições e dos enganos do diabo, os queimamos todos, com grandes lamentos e pesares dos índios", conta o próprio frade em seu livro.

O frade retornou à península de Yucatán com o título de bispo da região em 1573. Por mais controversas que tenham sido suas atitudes, seu livro trouxe importantes registros sobre o estilo de vida e da sociedade maia ao final da era pré-colombiana.

A PROIBIÇÃO DO USO

Após as grandes destruições empregadas pelo frade Diego de Landa em nome de sua religião, os maias foram proibidos de utilizarem tal escrita e dialetos pelo fato de serem "coisas do demônio" e que deveriam ser extirpadas da cultura dos nativos. Sendo assim, muitos dos que sobreviveram às caçadas espanholas e que possuíam algum conhecimento da escrita ou dos dialetos antigos foram proibidos de passar seus conhecimentos adiante e, assim, muito da cultura literária e linguística dos maias foi perdida. A escrita maia passou a ser proibida de ser utilizada pelos nativos, que seriam punidos com a pena de morte, caso burlassem essa proibição.

OS DIVERSOS CÓDICES PELO MUNDO

Após a grande perseguição de Diego de Landa e a destruição de quase todos os livros maias e de seus mais importantes costumes, rituais, hábitos e cultura foram encontrados alguns textos que sobreviveram ao fogo. Todos os textos eram documentos datados da era pós-clássica e foram escritos com os hieróglifos maias. Todos eles foram mandados para a Europa como souvenires e guardados como curiosidade pelos exploradores.

Hoje, esses livros recebem o nome de códices e, ao todo, existem apenas quatro deles em todo o mundo. Eles receberam nomes de acordo com as cidades da Europa onde estão localizados atualmente: Dresden, Paris, Madri e Grolier.

O CÓDICE DE DRESDEN

Esse códice foi parar nas mãos do pesquisador alemão Alexander Von Humboldt, que de imediato se interessou pela fascinante escrita maia e seus exóticos signos. Chegou à Europa primeiramente pela Áustria, até chegar a Dresden, na Alemanha, cidade na qual permaneceu sob os cuidados do pesquisador.

O códice de Dresden foi feito a partir do achatamento de uma longa e espessa folha feita a partir da casca de árvores e, posteriormente, foram aplicadas uma leve pasta de cal sobre as folhas para que obtivessem um clareamento delas. Dobrado em formato de acordeão, a longa folha do códice contém em suas 74 páginas muitos dos ensinamentos maias compilados em formato de almanaque, com tabelas matemáticas e informações medicinais, como conta Jill Rubalcaba em sua obra: "O livro foi construído dobrando sua longa folha em um estilo de acordeão para criar as 74 páginas que contêm almanaques, tabelas matemáticas para eclipses, previsões sobre inundações e quanto plantar, bem como informações sobre doenças e suas curas", explica Jill na obra *Empires of the maya*.

O livro foi um dos quatro remanescentes e, assim como os outros, seu papel foi fundamental não somente para obter conhecimento sobre a cultura maia, mas sim na decifração dos signos e símbolos da escrita maia. As investigações de Humboldt levaram muitos estudiosos até hoje a se interessar pela cultura maia e pesquisar os monumentos repletos de inscrições secretas.

O CÓDICE DE MADRID

O único códice feito posteriormente à conquista dos espanhóis é o códice de Madrid. Exposto e conservado no Museu da América da capital espanhola, já atraiu diversos estudiosos a fim de decifrar suas 111 páginas e 56 folhas, pintadas em ambas as faces. Isso fez os pesquisadores acreditarem, por muito tempo, que eram dois manuscritos independentes, conhecidos como Troano e Cortesianus até que, em 1880, o pesquisador francês León de Rosny concluiu que eram um único pergaminho.

Michael Coe, estudioso do assunto, concluiu que ele foi produzido após a conquista espanhola, graças a indícios de papel reciclado entre suas folhas de papel de casca de árvore, proveniente da região de Tayasal, região maia que se manteve independente até 1697. "O códice de Madrid combina detalhes sobre as crenças maias a respeito dos quatro pontos cardeais e as deidades que os presidiam, com informação acerca de celebrações do ano-novo e detalhados almanaques do calendário de 260 dias. Da mesma forma que o códice de Grolier, parece ter sido escrito às pressas, ou por um escriba inferior, pois contém erros gramaticais e uma caligrafia descuidada", relata Charles Phillips na obra *O mundo asteca e maia*.

O CÓDICE DE PARIS

O códice de Paris tomou o nome da capital francesa e é conservado na Bibliothèque Nationale desde 1832. De acordo com o historiador Bruce Love, o códice provavelmente foi produzido em 1450, na cidade de Itzá de Mayapán. Análises laboratoriais preliminares mostram que suas 11 páginas foram escritas por somente um escriba, ao contrário do códice de Dresden, em que é possível identificar de cinco a oito estilos caligráficos diferentes em suas páginas.

Entre as diversas informações contidas no pequeno manuscrito, estão os ciclos de katuns (períodos de 7.200 dias) e o período de 13 katuns (algo em torno de 260 anos). Deuses responsáveis pelos katuns e os períodos temporais dos maias também podem ser identificados. O códice de Paris ilustra 13 constelações, representadas por animais místicos que carregam o glifo do Sol em suas bocas. O arranjo das constelações se assemelha aos sinais do zodíaco tal como o conhecemos hoje. Esse códice revelou aos padres muitos dos conhecimentos descobertos acerca do universo.

O CÓDICE DE GROLIER

O códice de Grolier é datado de 1230 d.C. e, segundo pesquisadores e testes laboratoriais, é o mais antigo de todos os quatro códices descobertos. Ele possui esse nome graças ao evento de sua divulgação, em 1971, quando foi exposto para visitação do público no clube Grolier, em Nova York.

O códice possui um grupo de dez páginas, que provavelmente deveriam compor um grupo muito maior de escritos, com no mínimo o dobro de páginas. Pintadas de um só lado, as páginas foram escritas com muito pouco cuidado e de forma apressada, indicando um escriba inexperiente e um possível ambiente inadequado para o trabalho. "Contém pouca informação além dos detalhes sobre os signos dos dias e das deidades associadas com cada fase do ciclo do planeta. [...] Uma explicação de sua origem sugere que foi descoberto dentro de uma caixa de madeira junto com uma faca sacrificial e uma máscara em mosaico, numa caverna seca perto de Tortuguero, no atual estado de Chiapas", conta Charles Phillips em sua obra *O mundo asteca e maia*.

OS ESCRIBAS

Os escribas constituíam uma parte importante da sociedade maia. Além de prestígio, o escriba deveria aprender a lidar com a responsabilidade de redigir textos sagrados e principalmente ser o guardião de todos aqueles textos. Os escribas-chefes das cidades maias, durante o período clássico, ficavam encarregados de administrar, cuidar e elaborar os livros de grandes bibliotecas, que por sua vez possuíam uma variedade muito grande de obras. Nesses exemplares, eram guardados os textos mais diversos. Nos tempos áureos as bibliotecas podiam conter registros sobre genealogias e descendências dos maias, textos sobre rituais arcanos, além de conhecimentos sobre astronomia, informações médicas e até mesmo compêndios sobre ervas, plantas e animais. Na sociedade maia da era clássica, os escribas tinham status de gênios.

Graças a esse tratamento especial, os escribas maias eram educados em escolas especiais próximas ao palácio real, no centro das cidades. Apenas os descendentes de governantes, a elite e a nobreza podiam frequentar essa escola. A formação dos filhos mais velhos era destinada à educação militar e ao poder, enquanto os mais jovens, filhos das esposas mais jovens ou concubinas, frequentavam as escolas e davam ali os primeiros passos na vida de escriba.

Na sociedade maia, as mulheres também podiam exercer o papel de escriba e é possível que as escolas da época tenham admitido filhas de nobres e até mesmo princesas para o ensino da arte da escrita.

O LIVRO SAGRADO POPOL VUH

Popol Vuh, em tradução literal, significa "Livro do Conselho", e a cópia conhecida pelo mundo moderno é apenas uma cópia do manuscrito original que, perdido no tempo, foi passado a limpo pelos próprios Quichés após a conquista espanhola, séculos atrás.

O Popol Vuh nada mais é do que um relato extraordinário, e de grande qualidade imaginativa, do mundo maia e de todos os seus feitos, lendas, deusas e todos os aspectos religiosos e espirituais que a sociedade viveu. É considerado a obra literária mais importante das Américas pré-colombianas, é o livro sagrado dos maias, que reúne todas as crenças desse povo que conheceu o seu apogeu durante o chamado período clássico.

Alguns especialistas acreditam ainda que, dada sua importância, o Popol Vuh é o equivalente da Bíblia Católica na sociedade maia, não no âmbito de veneração, mas sim de respeito, por conter em suas páginas os mitos maias da criação do mundo e dos homens, que remontam há muitos séculos. Um importante trecho do Popol Vuh narra as aventuras de Xibalba, um par de gêmeos heróis que viajam para o mundo inferior maia.

De fato, o Popol Vuh foi originalmente escrito como um grande e longo poema, cuja primeira metade continha mais de 9 mil linhas. Após a transcrição do Popol Vuh pelo povo Quiché em 1554 para o alfabeto romano, o livro foi dividido em quatro partes.

O LIVRO PROFÉTICO CHILAM BALAM

Um dos livros mais importantes e um dos poucos a sobreviver desde o império maia foi o Chilam Balam, e muitos deles são provenientes de cidades de Yucatán. Os mais famosos são o Chilam Balam de Chumayel e o Chilam Balam de Tizimin. Chilam é a palavra maia utilizada para padres e xamãs, enquanto Balam significa jaguar. Os sacerdotes chamados de "padre jaguar" ou Chilam Balam, eram os mais prestigiados.

O suposto autor e escritor dos textos maias do Chilam Balam que é conhecido hoje, em linguagem europeia e transcrito da linguagem maia no século XV, foi um sacerdote. Embora, na realidade, creditam-se os livros Chilam Balam a várias pessoas em diferentes gerações, que registraram a história antes, durante e depois da conquista espanhola.

O Chilam Balam era um livro que guardava toda a informação que os maias possuíam sobre profecias, que o povo levava bem a sério. Os maias acreditavam que os próprios deuses revelavam aquelas informações para os prestigiosos sacerdotes, que por sua vez recebiam o pesado trabalho de serem os intérpretes dos textos antigos, das revelações e dos calendários sagrados. Para os maias, ao estudar o passado eles poderiam prever o futuro, uma vez que a história era circular e se repetia com regularidade.

MITOS DA CRIAÇÃO DO MUNDO:
A CRIAÇÃO A PARTIR DO VAZIO

Em meio à quietude e vastidão da inexistência, três deuses maias que preexistiam nesse vazio temporal e material viviam plenamente em um mar escuro e silencioso do nada, enquanto o mundo ainda não era criado. Kukulcán, com seu corpo de serpente e suas penas de ave quetzal, era um desses deuses que, mergulhados no vazio, se deleitavam com o silêncio e se aproveitavam do caos aquoso para colocar os pensamentos em ordem.

    Pensar era uma das tarefas mais prazerosas, se não a principal, entre todas as que poderiam fazer, e era muito estimada por todos os deuses. Um dia, após passarem todo o tempo pensando, os deuses decidiram que era hora de se comunicarem uns com os outros. O diálogo primordial foi intenso e, juntos, os três decidiram criar a luz através de três raios, para que toda aquela treva fosse banida e eles pudessem ver o que estava diante deles.

    De tão poderosos, os deuses resolveram que precisavam de algo mais do que apenas a luz para acabar com a vastidão sem fim da qual desfrutavam em seu tempo. Para tal foi necessária apenas a palavra Ulev (que significa Terra na língua quiché). O grito da palavra Ulev pelos três deuses fez surgir, do meio do vazio, o planeta Terra. Aos poucos o planeta foi tomando a forma que se conhece nos dias atuais, pois antes de possuir vales e montanhas, a Terra era como uma forma vazia, como uma nuvem.

    Muitos bosques e florestas foram formados da união de diversas vegetações que eram criadas pelos deuses, uma após a outra. Após um bom tempo de trabalho, os deuses se olharam e juntos se parabenizaram pela criação.

Hieróglifos maias expostos no Grande Museu do Mundo Maia em Merida, no México

8
RITUAIS DE SANGUE
COMO OS MAIAS ENXERGAVAM A MORTE E COMO
ERAM OS RITUAIS DE SACRIFÍCIOS HUMANOS

Os maias viam a morte da mesma forma que qualquer outro povo das Américas e mesmo outras civilizações antigas. Eles acreditavam que, assim que a pessoa morria, sua alma subia aos céus e ascendia para uma nova vida no além. No entanto, mesmo convivendo com a morte de milhares de pessoas todos os anos graças aos sacrifícios aos deuses, os maias sentiam tanta dor e sofrimento com a perda dos entes queridos quanto as civilizações modernas sentem hoje.

Charles Phillips conta como, diferentemente dos astecas, que possuíam até mesmo uma celebração em festa aos mortos, os maias possuíam profunda angústia com a morte de seus próximos. "Os maias temiam profundamente a morte, apesar de também conhecê-la de sobra. Longe de celebrar os que morriam, os desconsolados sobreviventes passavam dias e noites chorando e gritando de pena e desespero", conta Charles Phillips em sua obra *O mundo asteca e maia*.

Porém, o costume de chorar copiosamente e colocar para fora as angústias e o desolamento através de gritos e urros só era permitido à noite. "Quando um Maia morria, os seus entes queridos choravam em silêncio durante o dia, mas depois de escurecer os enlutados eram barulhentos e lamentosos", afirma Jill Rubalcaba em sua obra *Empires of the maya*. Por dias, os maias faziam jejum em homenagem ao seu ente querido, na esperança de que ele chegasse bem ao outro lado.

O CAMINHO DA ALMA MAIA

Para os maias, existiam dois tipos de almas: a alma corpórea, que era a primeira alma do ser humano, e sua alma "zoomorfa" que era ligada a um animal. A primeira alma, que coexiste com a segunda dentro do corpo da pessoa, era chamada de Sak Nik Nahal, que em tradução literal da língua quiché, significava "Flor branca" ou "A branca consciência da florescência". Essa primeira alma abandonava o corpo após a morte e ascendia aos céus, dando início à peregrinação do morto pelo submundo, que podia levar certo tempo até que este encontrasse seu lugar de descanso eterno. Para que o morto alcançasse o sucesso nessa jornada, os vivos continuavam a servi-lo com comida ou dinheiro na forma de jade, que era uma forma de oferenda.

Já a segunda alma era chamada pelos maias de way, e estava ligada a outro ser vivo desse mundo, animais ou a uma entidade mítica, ou mesmo a fenômenos naturais como a chuva e os trovões. "Para os maias, no entanto, a alma não era vista como algo oposto ao corpo, sendo ambos parte do universo como um todo. Era vista como uma ligação com todas as coisas vivas existentes no universo, podendo assumir inclusive formas materiais e tangíveis, estando longe de constituir-se em um ente 'vaporoso' e imaterial contraposto ao mundo físico", completa A. S. Franchini na obra *As melhores histórias das mitologias asteca, maia e inca*.

OS SACRIFÍCIOS HUMANOS

Os sacrifícios humanos eram extremamente necessários na sociedade maia, graças às suas crenças. Os maias acreditavam que, realizando esse tipo de ritual, os deuses seriam piedosos e trariam providências favoráveis ao povo. "Oferendas ou sacrifícios de sangue eram importantes porque isso era visto como uma poderosa fonte de K'uh (substância sagrada). Para os maias, a maior fonte de K'uh era a vida, e por extensão, o sacrifício supremo era oferecer a vida humana aos deuses. Assim, o mais importante e relevante ritual era santificado pelo sacrifício humano", conta Robert J. Sharer na obra *The ancient maya*.

Outros motivos para os sacrifícios humanos seriam a chegada de um novo reinado ou um novo governante, e até mesmo o nascimento de alguém importante aos olhos dos maias, como conta Charles Phillips. "Os maias acreditavam que o sacrifício humano era um rito necessário para ocasiões especiais, como a inauguração de um novo reinado, ou de um templo ou edifício, ou o anúncio, nascimento ou bênção de um herdeiro ao trono", explica Charles na obra *O mundo asteca e maia*.

Em alguns sacrifícios humanos, os maias praticavam o canibalismo. Mesmo raro, ele acontecia dependendo da circunstância, mas geralmente os guerreiros e chefes militares devoravam os corpos de seus inimigos mais bravos e corajosos na intenção de adquirir a coragem e as qualidades do morto. "Se a vítima tinha demonstrado coragem em batalha, o corpo era cortado em pedaços e comido pelos guerreiros e chefes durante uma cerimônia. As mãos e os pés eram presenteados aos sacerdotes. Se a vítima fosse um escravo ou um prisioneiro de guerra, o mestre ou o captor mantinha seus ossos para serem usados como prova de sua superioridade", completa Jill Rubalcaba na obra *Empires of the maya*.

SANGRIAS E RITUAIS DE SANGUE

O sangue era considerado pelos maias como uma força sagrada, capaz de reger os aspectos da vida e alegrar os deuses quando fosse derramado, e assim, esse era o único propósito aceitável, além das punições, para que houvesse tal derramamento. As sangrias, que eram o ato de derramar o próprio sangue, eram consideradas um privilégio e era responsabilidade da elite concedê-lo aos deuses. "Os maias acreditavam que, pelo derramamento da mais sagrada substância humana – o sangue – eles poderiam contatar os deuses e seus ancestrais", conta Jill Rubalcaba na obra *Empires of the maya*.

A preparação para as sangrias era feita durante dias, nos quais os participantes deveriam jejuar ou evitar alimentos proibidos, permanecerem castos e sem relações sexuais, além de consumir plantas alucinógenas para alcançar a barreira entre o natural e o sobrenatural.

As vítimas eram perfuradas com lâminas de obsidiana, ossos esculpidos ou espinhos. Quando essas pessoas morriam, levavam a ferramenta para mostrar aos deuses o seu sacrifício. Cortar as mãos e derramar o sangue em recipientes com incenso ou altar também era uma forma de ritual de sangue, que acontecia em datas especiais do calendário maia.

A VÍTIMA

Entre os maias, as vítimas escolhidas para os sacrifícios podiam ser as mais variadas, mas em geral eram sempre pessoas externas à sociedade maia ou os moribundos que não possuíam mais propósito perante o povo. Os plebeus, que posteriormente eram convertidos em escravos caso suas dívidas não fossem quitadas ou perdoadas, além de nobres, governantes e outros generais de tribos rivais que perdiam para os maias na guerra eram escolhidos como vítimas de sacrifício.

Era comum os sacrifícios serem feitos por meio da execução ou da autoflagelação, o que normalmente leva a crer que, assim como os incas, os maias dopavam e narcotizavam suas vítimas para que não sentissem dor. No entanto, os maias se preocupavam mais com a coragem do que com a piedade pelas vítimas, uma vez que uma vítima assustada e com medo da morte era considerada mau agouro. Um dos relatos feitos por Diego de Landa, e que comprova essa prática, é que os flagelantes faziam isso aos montes, perfurando os próprios genitais. "Ungiam assim o demônio, com o sangue de todas as partes, e aquele que mais fizesse era tido como o mais valente", conta o relato do frade.

OS RITUAIS DE SACRIFÍCIO

Os rituais de sacrifício aconteciam de diversas formas. Em uma delas, a vítima era pintada com um pigmento azul turquesa, que era a cor do sacrifício maia, e eram forçadas a subir os degraus dos templos vestindo um gorro pontiagudo. Lá no alto, sob o olhar de uma multidão, pintava-se a pedra expiatória de azul turquesa e quatro ajudantes do sacerdote, que também vestiam roupas da mesma cor azul, seguravam a vítima na superfície da pedra, enquanto o sumo sacerdote lhe abria o peito e extraía seu pulsante coração. "Depois disso, o chilam manchava com o sangue as estátuas dos deuses homenageados e sua própria pele. Atirava o corpo pelos degraus até a esplanada e ali os aprendizes o esfolavam. Depois devolvia-se a pele ao chilam, que a usava como se fosse uma vestimenta e dançava diante da multidão", conta Charles Phillips na obra *O mundo asteca e maia*.

Outra forma de realizar o sacrifício era com a vítima também pintada de azul turquesa e despida, com o gorro pontiagudo, amarrada a um poste enquanto guerreiros dançavam em volta dela. O sacerdote extraía o sangue de seus genitais e ofertava aos deuses, e por fim, os guerreiros que possuíam arcos e flechas interrompiam a dança e atiravam uma saraivada de flechas até que a vítima caísse morta.

OS CENOTES E OS SACRIFÍCIOS

Um dos aspectos mais curiosos em relação aos maias é que podiam associar aspectos e monumentos naturais como uma espécie de obra e sinal dos deuses. Os cenotes, que eram desabamentos naturais do solo calcário encontrados na América Central, era um dos locais que os maias acreditavam que isso acontecia. Verdadeiras grutas aquáticas, com poços de água profundos, eram os locais preferidos dos maias para que ocorresse o afogamento sacrifical em homenagem ao deus da chuva Chac, um dos principais deuses do panteão maia. "Vítimas eram lançadas para dentro desses sorvedouros acompanhadas de animais e riquezas, pois acreditava-se que tais poços fossem portais sobrenaturais para a morada subterrânea do deus", conta A. S. Franchini na obra *As melhores histórias das mitologias asteca, maia e inca*.

Em algumas ocasiões, a vítima conseguia se manter boiando por um longo tempo, o que obrigava os maias a retirarem a pessoa do poço e passarem uma resina aromática e entorpecente em seu corpo. Caso a vítima sobrevivesse a essa segunda tentativa, era resgatada e deveria contar aos sacerdotes principais o que havia escutado dos deuses ou do inframundo durante a imersão. Se os argumentos fossem convincentes, a vítima não era mais sacrificada e se tornava uma espécie de santa ou escolhida do deus para os maias.

No cenote de Chichén Itzá, um dos cerca de 5 mil poços que se calcula existirem por toda a Mesoamérica, e considerado o mais famoso, arqueólogos encontraram de tudo em suas profundezas: desde ossadas humanas, jóias de jade e discos de ouro, até objetos modernos, como uma boneca vestida, o que comprova a persistência do culto entre os indígenas.

O ENTERRO MAIA

Os maias possuíam vários costumes referentes ao enterro e à homenagem a seus mortos, dependendo da época e da região em que se situavam. Geralmente nas regiões maias o morto era sepultado próximo aos seus antepassados ou mesmo atrás das residências.

Envolto em um sudário, o defunto recebia diversas oferendas que tinham uma ligação com suas atividades terrenas. Os mais pobres e as pessoas comuns recebiam oferendas menos tradicionais, como um pouco de pedras preciosas ou mesmo suas ferramentas de trabalho e comida, de acordo com o bispo Diego de Landa, em relato recontado por Charles Phillips em sua obra *O mundo asteca e maia*: "De acordo com o bispo Diego de Landa, o plebeu de Yucatán era enterrado com sua roupa de algodão e uns grãos de milho ou contas de jade na boca, o que lhe serviria na sua viagem pelo caminho brando da Via Láctea em direção ao mundo inferior", conta Charles Phillips.

Já os mais ricos, geralmente nobres e governantes, podiam ser enterrados com uma máscara mortuária feita de jade, com túmulos abarrotados de oferendas e riquezas e enterros mais suntuosos do que os demais. "Em ocasiões especiais levantava-se uma pirâmide-templo ou se condicionava novamente uma já existente para abrigar o túmulo do rei morto", conta Charles Phillips em sua obra.

Durante o período pós-clássico, os toltecas e seus sucessores que tiveram ampla participação na cultura maia, preferiam a cremação, na qual o falecido era incinerado sentado, e suas juntas eram enterradas com as oferendas.

Máscara mortuária maia

9

A MEDICINA MAIA

A CURA DE DOENÇAS, CIRURGIAS, PLANTAS MEDICINAIS E RITUAIS MÉDICOS

Originalmente, como a medicina era muito ligada aos conceitos religiosos e místicos envolvendo o imaginário maia, os médicos eram sacerdotes, xamãs que possuíam grande conhecimento das plantas da região e sabiam como tratar esses problemas. As famílias transmitiam essa arte da cura ao longo das gerações, de forma hereditária. Logo bem jovem, a criança já saía com seu pai médico para aprender como eram as lógicas, os processos, as plantas e os remédios, bem como os tratamentos aplicados aos mais diversos pacientes.

Após seu tempo como simples ajudante, o rapaz crescia e se tornava aprendiz, até que por fim chegava com a experiência e a idade à posição de médico. "O médico maia era considerado ao mesmo tempo um curador e um profeta de enfermidades. Eram muito cuidadosos com a saúde pública e com o uso adequado da água e da limpeza pessoal", conta Carlos Rivera Williams no artigo *Historia de la medicina y cirugía en América: la civilización maya*, publicado pela *Revista Médica Hondureña*.

Homens e mulheres eram considerados aptos para o exercício da medicina e da arte da cura. Os homens alcançavam o doutorado mais fácil que as mulheres. Enquanto os homens recebiam o título de "Ah-Men" ainda em sua juventude, as mulheres só recebiam seu equivalente após a menopausa, por estarem "livre" das impurezas derivadas dos partos e dos ciclos menstruais.

A ALMA DAS ÁRVORES NA CURA DE DOENÇAS

Uma das principais crenças dos maias, assim como de outras tribos e civilizações da Mesoamérica, era a de que não somente os homens, mas toda a natureza possuía uma alma, independente de estar animada ou não. Com as árvores essa crença não era diferente, apesar de estar fortemente enraizada nos sacerdotes, uma vez que a medicina é vinculada com práticas xamânicas, de que as árvores podiam transmitir não só energias positivas, mas também doenças. A árvore contagiava as pessoas por meio de uma espécie de "fluxo de energia" semelhante a um "vento místico". Assim, sempre que alguém ficava doente entre os maias, os sacerdotes saíam correndo atrás da árvore responsável.

Uma vez identificada, a árvore deveria ser contatada pelo sacerdote, que utilizava dos mais proféticos e xamânicos rituais para entrar em contato com a alma da árvore e convencer a planta a

> **A CIRURGIA NA CIVILIZAÇÃO MAIA**
>
> A cirurgia na civilização maia não era utilizada da forma como é feita hoje. Cirurgias dentárias eram feitas não com o objetivo de curar cáries ou extrair dentes, mas sim para incrustar pedras de jade nas obturações, com finalidade ornamental e terapêutica.
>
> No entanto, a cirurgia para cura de algum tipo de mal era feita de forma rústica e sem muitos cuidados, não pela falta de conhecimento da anatomia, mas sim da patologia e das hemorragias e infecções, o que causava complicações que quase sempre resultavam na morte do paciente.

não fazer mais mal a ninguém. Uma vez parado o "fluxo maléfico" causado pela árvore, levava-se uma questão de dias para que as vítimas das energias negativas recobrassem suas forças e seguissem com a vida.

AS CASAS DE BANHO

As casas de banho maias eram muito similares às saunas que existem hoje. Eram usadas, entre outras coisas, para manter a boa higiene e para relaxar os músculos após um longo dia de trabalho.

No entanto, podiam ser utilizadas para medicina também. Mulheres grávidas eram constantemente submetidas às casas de banho para realizarem uma espécie de tratamento pré-natal. "Saunas eram também usadas para cura. Os maias acreditavam que elas eram uma cura universal para tudo, desde músculos doloridos até mordidas de cobras venenosas", conta Jill Rubalcaba na obra *Empires of the maya*.

A saunas eram construídas em pedra e com tetos levemente abobadados. O estado de fervor nas casas de banho era conquistado com golpes de água que eram atirados em pedras escaldantes para que fosse criado o vapor, para a cura e o tratamento dos enfermos.

Os quartos das casas de banho possuíam também um sistema de drenagem para remover o excesso de água enquanto os maias descansavam e curtiam o tratamento em bancos, onde podiam permanecer sentados ou deitados.

O CONCEITO DE ENFERMIDADE

Os maias acreditavam que as enfermidades e todas as doenças conhecidas por eles não eram uma causa natural da exposição a vírus e bactérias, que por meio de variados meios de transmissão, contaminavam a todos. No lugar disso, os maias acreditavam que as doenças eram todas causadas pelos deuses e enviadas como castigos divinos por algum ato que desagradou às deidades, atribuindo as origens das doenças aos céus. "Os maias acreditavam que as doenças desciam dos céus como castigo dos deuses [...] As ideias sobre as doenças eram intimamente relacionadas com as concepções morais e religiosas", afirma Carlos Rivera Williams, no artigo *Historia de la medicina y cirugía en América: la civilización maya*, publicado pela *Revista Médica Hondureña*.

AS DOENÇAS

Grandes conhecedores das doenças, os maias atribuíam nomes diferenciados a todas elas, dependendo do seu dialeto e da região. Entre as doenças mais conhecidas, estavam o típico resfriado comum, a bronquite, a tuberculose e a psoríase, que era aliada a outros tipos de doenças, geralmente causadas por fungos. Existiam também doenças sexuais entre os maias, como a gonorreia, por exemplo.

Uma das mais graves doenças, que equivaleria hoje a uma possível epidemia em termos de perigo, com delírios e convulsões, erupções de pele e febre, era chamada de cocoztli, nome dado ao tifo ou febre tifóide.

Já a segunda grande doença conhecida dos maias e que trazia o mesmo perigo para eles e todas as tribos ao redor, com seus sintomas de dores abdominais, icterícias, febres súbitas e delírio, era a febre amarela.

OS RITUAIS MÉDICOS

As doenças eram curadas pelos médicos maias, que podiam ser xamãs ou curandeiros, e assim como os médicos modernos eles possuíam livros feitos de forma precisa pelos escribas, que continham referências da área médica. Um dos manuscritos que sobreviveram à perseguição espanhola foi o livro *O ritual dos bacabs*. Nele, são descritos cânticos rituais para a cura de diversas doenças, tais como febres, parasitas, queimaduras, mordidas, coceiras e até ossos quebrados. "Para curar uma dor de dente, *O ritual dos bacabs*

> **GLOSSÁRIO MAIA DE DOENÇAS**
> **Resfriado comum** - Tzonpiliniztli
> **Sarna** – Ezcazahuatl
> **Bronquite** – Tlatlaxiliztli
> **Tuberculose** – Tetzauhcocoliztli
> **Micose** – Quaxincayotl
> **Pediculose** – Ixocuili
> **Psoríase e outros fungos** – Xiotl
> **Gonorreia** – Nemecatiliztli
> **Impotência sexual** – Totomiauiliztli
> **Diarreia** – Apitzalli
> **Hematuria (Sangue na urina)** – Extlaxixtli
> **Língua suja** – Nenepiltextli
> **Pus** – Temalli
> **Azia** – Chuhual
> **Indigestão** – Balbuthil
> **Cólica** – Tabnakil
> **Disenteria** – Hubnak Puuch
> **Leishmaniose** – Chech
> **Malária** - Camoackin

instrui o xamã a repetir, 'Eu estou pronto para assumir o seu fogo. Eu asso ele no coração dos alimentos, nos dentes do homem de madeira verde, o homem verde/pedra. Vermelha é minha respiração, branca é minha respiração, preta é minha respiração, amarela é minha respiração'", conta Jill Rubalcaba na obra *Empires of the maya*.

PLANTAS E REMÉDIOS

Os remédios maias eram elaborados a partir de uma série de misturas de ervas conhecidas dos herbalistas, que agiam em prol do doente a fim de combater as diversas doenças que já existiam na América Central. Algumas ervas, como por exemplo a kanlol, que é um forte diurético encontrado nas terras maias, era utilizado para o tratamento de pressão alta, falência cardíaca, problemas nos rins e no fígado, além de glaucoma.

Algumas outras soluções eram feitas por meio da moagem de plantas e utilizadas no tratamento de problemas ligados a vermes, como uma espécie de vermífugo natural. Outras, como pastas e pomadas feitas de casca de árvore, eram utilizadas como repelente natural contra os mosquitos transmissores da malária e da dengue. "Pomadas feitas à base de casca de árvore serviam como efetivos repelentes de mosquito, prevenindo doenças carregadas por mosquitos como a encefalite (uma inflamação no cérebro), malária, dengue e febre amarela", conta Jill Rubalcaba em sua obra.

Francisco Itama Chorti, um remanescente maia, recolheu no século XVII mais de 350 plantas medicinais utilizadas pelos antigos maias em diversos tratamentos. A achiote (semente de anatto), que era utilizada em diferentes condições envolvendo a boca e os pés, bem como a "chichicamole", cuja raiz era reduzida a pó para ser usada como um purgante muito poderoso, eram alguns dos exemplos da lista.

Para a cura de braços e outros membros quebrados, os maias aplicavam na região uma pasta especial chamada cocopatli, que endurecia após um tempo e era perfeita para imobilizações e cura de ossos quebrados. A destreza dos maias na medicina era tamanha, que o tempo para se ficar paralisado com a pasta endurecida variava de acordo com a parte, mas geralmente era de 20 a 30 dias.

Outro tipo de tratamento utilizado pelos maias era a sangria. Apesar de ser um ato nobre e ritualístico, a sangria podia ser considerada uma oferenda aos deuses, já que as doenças também eram causadas por eles e assim fazia sentido para eles utilizarem esse método para sanar as enfermidades. Por exemplo, se uma pessoa tinha dor de cabeça, era necessário sangrar sua nuca com pequenos cortes a fim de melhorar a condição.

10
O JOGO RITUAL E OS ESPORTES

RELACIONADOS OU NÃO À RELIGIÃO, OS MAIAS PRATICAVAM ESPORTES E TINHAM ATÉ UM JOGO DE BOLA COM 11 DE CADA LADO

Não se sabe ao certo quantos jogos e esportes os maias praticavam. Diferentemente dos astecas, que possuíam uma grande gama de disputas e jogos envolvendo postes, feijões e também o jogo de bola, os maias ficaram mais conhecidos por deixarem para a posteridade os grandes campos em que disputavam o pok-a-tok. "O 'jogo de bola' – tlachtli para os astecas e pok-a-tok para os maias – remonta a tempos muito antigos na história da Mesoamérica. Com os astecas já tinha pelo menos 2 mil anos de história, uma vez que já era jogado no México em meados do segundo milênio a.C.", conta Charles Phillips na obra *O mundo asteca e maia*.

No entanto, os cientistas acreditam que os maias herdaram o jogo de seus influenciadores e precursores olmecas, uma vez que a bola de borracha usada para as competições pode ter nascido nas terras baixas do Golfo do México, região na qual os olmecas eram muito desenvolvidos entre o segundo e o primeiro milênio a.C.

AS REGRAS DO JOGO

As regras do jogo de bola pok-a-tok variavam de acordo com a cidade maia em que era praticado. Entre as variáveis, estavam a quantidade de jogadores, a forma de se marcar pontos e até mesmo os membros que podiam tocar na bola. Na maioria dos casos, duas equipes de dois a 11 homens jogavam com uma bola feita de borracha extraída do caucho, uma espécie de árvore que produz o látex. A bola media entre 15 e 20 centímetros de diâmetro.

O objetivo do jogo era deixar a bola em movimento, sem que ela caísse no chão nem fosse tocada por pés e mãos. Os jogadores só poderiam movimentar a bola com a cabeça, os quadris, os cotovelos e joelhos. A marcação de pontos era o mais complicado. Para se pontuar, os jogadores deveriam fazer a bola passar por um arco em uma parede lateral ao campo. No entanto, outras formas de pontuação eram aceitas.

"Havia marcadores de pedra em diversos pontos da zona de jogo e, em algumas ocasiões, se pontuava acertando-os, ou mandando a bola ao fundo da zona defendida pelo oponente", conta Charles Phillips. As regras variavam com o passar do tempo também. Em Teotihuacán, por exemplo, os jogadores foram desenhados nos muros das edificações pelos artistas também segurando paus em suas mãos, o que dá a entender o rebater da bola, como feito nos jogos de beisebol. Em Chichén Itzá e em outros campos de bola do período pós-clássico, o objetivo, ainda não muito bem delineado pelos historiadores e estudiosos, parecia ser introduzir a bola nos aros. Já em outras regiões, os jogadores marcavam os pontos rebatendo a bola no extremo das zonas de seus oponentes.

A PURIFICAÇÃO

Assim como para uso medicinal, as casas de banho foram utilizadas pelos maias para rituais de purificação. Um desses rituais envolvia o pok-a-tok e, portanto, algumas casas de banho ficavam próximas aos campos do jogo.

As saunas também eram usadas como preparo para a realização de rituais sagrados e de purificação, uma vez que acreditava-se que o vapor expulsava os espíritos malignos. A purificação para o jogo é muito associada ao fundo mítico que a disputa de bola possui com os contos fantásticos do Popol Vuh e a epopeia dos gêmeos contra os deuses do Xibalba.

Detalhe de um dos arcos do campo de Uxmal

OS JOGADORES

Pelo fato do jogo carregar grande significação religiosa e por ser uma honra aos deuses, os jogadores eram valentes guerreiros que representavam as batalhas travadas, ou mesmo pelos governantes e pela nobreza de forma geral. Em outras situações, podia-se obrigar os prisioneiros que fossem nobres e governantes de outras tribos que tomassem parte no time rival da tribo da casa, fazendo com que a disputa ficasse cada vez mais fervorosa, apesar de injusta, como conta Jill Rubalcaba: "As elites locais, tipicamente, deveriam vencer o jogo, e assim os lordes perdedores seriam sacrificados". O costume de sacrificar as pessoas, sejam prisioneiras ou não, não acontecia com frequência, e muitas vezes era considerada uma honra ser sacrificado em um jogo de bola, pois assim o guerreiro e jogador sempre teria um lugar privilegiado no outro mundo.

"Os talhos na Grande Corte também mostram o capitão do time vencedor estendendo seu pescoço para o capitão do time perdedor – que cortava fora a cabeça do vencedor. Esta pode parecer uma péssima recompensa pela vitória. Mas os maias acreditavam que essa decapitação era uma honra sagrada. Alguém morto desta maneira tinha sua imediata entrada no outro mundo garantida", completa Jill Rubalcaba em sua obra.

CHICHÉN ITZÁ E A GRANDE CORTE

O magnífico campo de bola de Chichén Itzá é o maior da Mesoamérica. Com medidas que vão dos 68 x 166 metros, a superfície de jogo, que mede 36 x 146 metros, está envolta por paredes grossas de 8 metros de altura, com seus arcos de pedra bem no meio de toda a extensão. "Os campos mais antigos tinham marcas para indicar o centro da área de jogo, que dividiam o campo em duas metades iguais. Alguns campos tinham nichos em suas extremidades, nas esquinas diagonalmente opostas", explica Charles Phillips em sua obra. Os campos também costumavam ter assentos para os espectadores, que mediam aproximadamente 30 centímetros de altura por 2,4 metros de comprimento, quase como as arquibancadas modernas.

O grande campo de bola de Chichén Itzá era parte de um complexo cerimonial repleto de estruturas sagradas, o que fazia a cidade conter ao menos 13 campos de jogo de bola, um número maior do que o de qualquer outro centro maia. Parte das estruturas destes campos era feita como uma grande escadaria, na qual acontecia parte da cerimônia religiosa, geralmente os desfechos e as execuções das batalhas travadas nos campos.

"Alguns campos maias contavam com anexos onde havia degraus nos quais se amarrava o capitão da equipe derrotada como se fosse uma bola, de onde era lançado a fim de morrer, para celebrar a descida do deus ao mundo inferior", conta Charles Phillips em sua obra.

O JOGO DE BOLA HOJE

Hoje, o jogo de bola conhecido pelos maias e também pelos astecas é mais praticado nas terras do México. No entanto, as regras foram adaptadas para que não sejam necessários tantos jogadores e, principalmente, sacrifícios. "Um jogo descendido diretamente daquele jogo antigo ainda é jogado em partes do norte do México", conta Jill Rubalcaba na obra *Empires of the maya*. Conhecido não mais como pok-a-tok, mas sim como ulama, o jogo possui diversas variantes que são praticadas de acordo com a região em que é jogado. No norte de Sinaloa, um estado mexicano, é jogado ulama de brazo. O jogo acontece entre dois times de três pessoas que se enfrentam tentando marcar pontos da mesma forma que o jogo ancestral, através dos arcos. Porém, nessa variante é permitido o uso dos antebraços, que são envoltos por uma grossa proteção.

Ulama de cadera é outra variável do jogo que pode ser encontrada no sul de Sinaloa, e diferente do ulama de brazo, os times são formados por cinco ou mais pessoas justamente por ser permitido somente o toque na bola com o quadril. "Os jogadores podem usar seus antebraços, mas não suas mãos para atingir a bola. A bola é muito pesada, então tipicamente eles querem acertar a bola com seus quadris. Usando o corpo todo dessa maneira, o jogador consegue impulsionar a bola muito mais alto", conta Jill Rubalcaba, ainda em sua obra, sobre algumas das variações do jogo praticado atualmente.

Já a terceira variante do jogo, ulama de palo, é a que mais se aproxima da original descrita em diversas cenas de templos. Nela, os jogadores utilizam tacos semelhantes aos descritos nas cenas religiosas, como se fossem raquetes de madeira. O jogo, de forma geral, era descrito apenas como uma lembrança do passado, até que foi revivido por pequenas tribos remanescentes na região do México durante a década de 1980.

Inscrições religiosas do jogo de bola em Chichén Itzá

FUNDAMENTOS RELIGIOSOS

Os maias acreditavam que o jogo simbolizava a luta entre os Heróis Gêmeos e os deuses do Xibalba, no entanto, esta não era a única associação que os maias faziam com relação a seu esporte. Alguns historiadores sugerem que a bola utilizada no jogo representaria o próprio Sol, exemplificando assim os esforços dos maias para que o astro sempre se mantivesse altivo, na posição de doador da vida nos céus. Isso explicaria também a regra na qual os maias não podiam deixar a bola cair no chão. Apesar disso, a dicotomia entre a vida e a morte era vista como algo real, fazendo dos jogos verdadeiras encenações das batalhas travadas entre tribos e povos. "Há estudiosos que dizem que as partidas significavam a narração de batalhas, e que no final eram sacrificados os nobres ou reis inimigos capturados, de maneira a concluir a própria história", conta Charles Phillips em sua obra.

A EPOPEIA DOS HERÓIS GÊMEOS

O jogo nas regiões maias estava muito associado às proezas dos heróis gêmeos Hunahpú e Xbalanqué, que desafiaram, através de um jogo de bola, os deuses do mundo inferior e senhores do Xibalba. A lenda diz que haviam dois homens, Hun Hunahpu e Vucub Hunahpu, que apostavam muito em jogos de azar e passavam o tempo todo jogando bola. Os deuses do Xibalba, responsáveis pelas mais diversas tragédias do mundo, convidaram os dois para um jogo no mundo inferior.

Chegando no inframundo, os deuses começaram a realizar diversas brincadeiras cruéis com os dois homens. Primeiro disseram para sentarem-se em um banco que de tão escaldante quase não suportaram. Depois mandaram os homens passarem a noite na Casa Escura, uma das regiões do inframundo, com apenas uma tocha e dois charutos para iluminar o ambiente.

Incrédulos que haviam gastado tudo que os deuses haviam lhes dado, as deidades puniram os dois com a morte no campo do jogo de bola, enquanto a cabeça de Hun Hunahpu foi exibida em uma árvore. Uma garota do inframundo, chamada Xquic, foi olhar a árvore e, intrigada com a cabeça do jovem Hunahpu, chegou tão perto que a cabeça cuspiu nela, engravidando-a. Mais tarde ela deu à luz os heróis gêmeos Hunahpú e Xbalanqué. Os gêmeos, ao saberem que os deuses do inframundo mataram seu pai e tio que adoravam o jogo de bola, decidiram se vingar.

Começaram a jogar bola fazendo muito barulho, o que fez os senhores do Xibalba desafiarem os heróis para uma partida. Ao chegarem no Xibalba, os deuses decidiram brincar com a vida dos dois, assim como haviam feito com seu pai e tio. No entanto, os dois passaram sem dificuldades por todas as provações dos deuses e suas terríveis criaturas, habitantes da Casa Escura, da Casa das Navalhas, da Casa Fria, da Casa do Jaguar, da Casa do Fogo e da Casa dos Morcegos. Após passarem por diversas provações impostas pelos deuses, os gêmeos jogaram contra as deidades e, astutos, venceram com facilidade todos os jogos de bola que disputaram.

Furiosos, os deuses do inframundo queimaram os gêmeos em um grande forno, moeram seus ossos e espalharam o pó pelo rio. Seis dias depois, os senhores do Xibalba ficaram incrédulos quando os gêmeos reapareceram na sua frente alegando terem vencido a morte. Desafiados a provar seus feitos, Xbalanque arrancou o coração de Hunahpu e ordenou que este se levantasse. Hunahpu se levantou e assim os deuses acreditaram que os jovens haviam vencido a morte e descoberto uma forma de reviver os mortos.

Ansiosos por conhecer a experiência, os deuses pediram aos jovens que arrancassem seus corações e os retornassem à vida. No entanto, sábios, os jovens arrancaram os corações das deidades, mas os deixaram mortos, reduzindo o poder do inframundo e deixando o universo pronto para a criação dos seres humanos.

11

A CIÊNCIA MAIA

CONHEÇA A ASTRONOMIA, A MATEMÁTICA, A NUMEROLOGIA, A COSMOLOGIA E O CALENDÁRIO MAIA

OS MAIAS NA ASTRONOMIA

Os maias possuíam, assim como os incas e os astecas, inúmeros conhecimentos sobre astronomia. Os sacerdotes maias, que com amplo conhecimento eram responsáveis pelo estudo dos astros, cruzavam referências para determinar quando eram as datas sagradas e como os ciclos temporais eram tramados. "Os sacerdotes e os astrônomos mantinham um registro incrivelmente preciso do tempo, com o movimento das estrelas como medida", conta Charles Phillips na obra *O mundo asteca e maia*.

Os meios de observação que os astrônomos maias dispunham, assim com os diversos outros povos vizinhos da Mesoamérica, eram simples e limitavam os sacerdotes a calcularem os movimentos estelares a olho nu, enquanto utilizavam marcas em pares de varas cruzadas como referência. "As edificações sagradas eram projetadas para celebrar os acontecimentos celestes e sazonais, como os solstícios e os equinócios, bem como para facilitar sua observação", afirma Charles Phillips em sua obra. Um grande exemplo de construção situada em ponto estratégico, não só pelos maias, mas sim como referência em toda a Mesoamérica, seria a Pirâmide do Sol,

Observatório Astronômico El Caracol, localizado na cidade de Chichén Itzá, no México

Calendário maia: 365 dias divididos em 18 meses que contêm 20 dias cada um

em Teotihuacán, que está alinhada para demarcar o percurso diário do Sol em seu trajeto do Leste a Oeste.

O nível da astronomia maia era tão surpreendente, além de preciso e certeiro, que seus edifícios destinados a serem observatórios astronômicos se assemelham em muito com os que possuímos hoje.

"Os maias, assim como muitos povos, observavam os movimentos das estrelas e dos planetas. Mas os maias levaram sua ciência a um nível extraordinário, construindo torres nas quais faziam e anotavam suas observações. Caracol, o observatório em Chichén Itzá, se parece notavelmente como um observatório moderno com seu domo e suas janelas fendadas para observar os céus", completa Jill Rubalcaba na obra *Empires of the maya*.

O CALENDÁRIO MAIA

Os maias dispunham de dois tipos de calendários. O primeiro deles se baseava em 13 grupos de 20 dias, que totalizava 260 dias. Era utilizado principalmente para a marcação de datas ritualísticas e eventos religiosos.

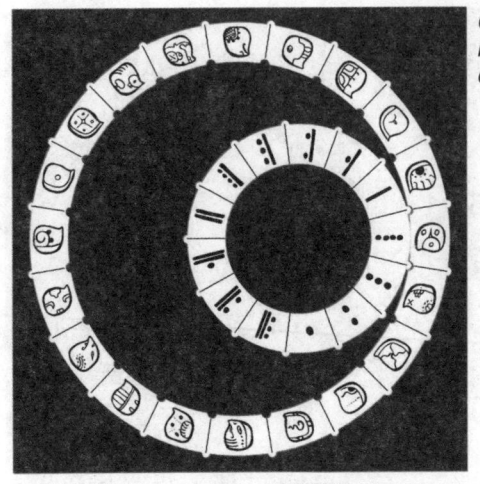

Calendário maia que ilustra a rotatividade dos dias

O segundo calendário é semelhante ao calendário solar moderno e se baseia em 18 grupos de 20 dias, mais cinco dias adicionais que os maias acreditavam serem nefastos, totalizando os 365 dias habituais. Esse calendário era usado pelos civis, ao contrário do calendário ritual, utilizado pelos sacerdotes. "Os dias de cada um desses calendários, permutando-se de forma cíclica segundo uma ordem determinada, terminavam por fazer os dois calendários se reencontrarem no mesmo ponto de partida a cada 52 anos, quando recomeçava o ciclo", explica Paul Gendrop na obra *A civilização maia*.

Os calendários maias se baseavam na crença de que o mundo possui ciclos temporais, e que estes, de tempos em tempos, se repetem. Graças a isso é que os dois calendários se reencontram.

"Assim como o Sol, a Lua e os planetas possuem órbitas e ciclos que se repetem, assim foi feito o calendário maia. Os maias acreditavam que a história se repetia e que se uma certa data trazia infortúnios, a próxima data por volta daquele tempo poderia trazer infortúnios também. Apenas identificando os dias de maus presságios, poderiam os reis maias, sacerdotes e xamãs realizarem os rituais apropriados para afastar o mal", completa Jill Rubalcaba na obra *Empires of the maya*.

A LENDA SOBRE O NASCIMENTO DOS MESES

Os maias possuíam lendas para todos os tipos de fenômenos, e como se já não bastassem as tantas que descrevem deuses, os homens, os planetas e a criação de tudo no mundo, eles também possuíam lendas voltadas para a criação do tempo e, consequentemente, de suas medidas, como meses, dias e anos. Descrito no livro do mês do Chilam Balam, e posteriormente retomado por A. S. Franchini na obra *As melhores histórias das mitologias asteca, maia e inca*, são descritos de forma poética como os dias foram criados, ainda que de forma um pouco confusa.

Na antiguidade, quando o mundo era tão jovem que nem mesmo os homens habitavam suas terras, era impossível conceber a contagem de seu tempo, nem mesmo obter a localização cronológica de seu nascimento. Foi então que nasceu o mês que, solitário, começou sua longa caminhada pelo planeta. Suas duas avós, sua tia e sua cunhada também caminhavam sozinhas pelo mundo, e enquanto rumavam em direção ao leste, viram as pegadas de alguém. Enquanto todas elas se distraíam com as pegadas, o mês andava cada vez mais longe, até que decidiu criar o dia, talvez como um filho do qual se orgulhasse, talvez como uma fração mínima do seu ser.

Vendo sua bela criação, decidiu criar também o céu e a Terra, que a princípio receberam a força de uma escada cheia de rochas, com árvores e muita água. Assim como o primeiro dia, foram criados outros tantos, que foram chamados de Um Chuen, Dois Eb, Três Ben, e Quatro Ix, que significa "Quatro Jaguar", no qual a Terra e o céu se abraçaram. Depois que o Cinco Men foi criado, a Terra começou a se mover, até que o homem foi criado do barro e da água no Treze Akbal. O primeiro mês foi formado quando se chegou ao 20º dia.

A interpretação de especialistas sobre o tema é muito diversificada. No entanto, os 20 dias do mês possuem certa representação simbólica da vida humana, como mostra A. S. Franchini em sua obra: "Os 20 dias foram chamados de 'as pegadas do deus', e são uma representação simbólica da vida humana e de sua jornada espiritual em direção ao divino, não sendo por acaso que o primeiro degrau, ou dia, foi chamado de Imix, palavra que provém de Im, ou ventro. No segundo dia, chamado Ik, ou 'vento', simboliza-se que a criança começa a respirar. No terceiro, Akbal, ela nasce pela água (os maias acreditavam numa espécie de batismo). E assim por diante, até chegar ao 20º dia, chamado de Ahau, ou 'Deus', onde se completa a jornada espiritual com a fusão do homem com a divindade", completa A. S. Franchini.

A VISÃO SOBRE O TEMPO E A DUALIDADE DA VIDA

A noção do tempo na Mesoamérica, e não somente na interpretação dos maias, era vista como um avanço em diversos ciclos governados pelos deuses, mas além disso, acompanhava uma consciência que transpassava modelos de dualidade. "Os astecas e os maias consideravam que o universo estava estruturado conforme uma dualidade de elementos de origem divina (a vida e a morte, o dia e a noite, a luz e a escuridão, o úmido e o seco, o reino celestial e o reino dos infernos), que se equilibravam entre si e costumavam sucederem-se uns aos outros", conta Charles Phillips na obra *O mundo asteca e maia*.

Os maias consideravam a Via Láctea, que aparecia constantemente no céu noturno da Mesoamérica, como uma grande serpente de duas cabeças, uma que representava a morte e a outra a vida. Os adivinhos maias podiam interpretar fatos terrenos e até mesmo movimentos celestes com base nas concepções temporais e na visão de dualidade, fazendo com que isso alterasse o ponto de vista até sobre acontecimentos futuros. "Eles mediram precisamente e dataram os movimentos do Sol, Lua e planetas. Datas eram esculpidas em templos, entalhadas em monumentos e pintadas em cerâmicas. Isso ilustra a importância de manter o tempo para os maias", completa Jill Rubalcaba na obra *Empires of the maya*.

OS MAIAS NA MATEMÁTICA

Os maias possuíam um dos mais complexos sistemas numéricos de toda a Mesoamérica, o que fazia com que obtivessem avanços impressionantes na montagem de seus calendários e eventos, bem como no estudo da astronomia e na contagem de mercadorias, entre outras atividades. Eles foram os primeiros a entender o complicado conceito do número zero, e tinham até um símbolo para representá-lo, muitos séculos antes dele ser utilizado na Europa. "Além disso, o códice de Dresden, que foi escrito durante a era pós-clássica, incluía tabelas de multiplicação – prova que ainda naqueles tempos os antigos maias já executavam cálculos abstratos com seus números", conta Jill Rubalcaba.

De fato, os maias possuíam a habilidade de fazer contas extremamente complicadas para uma civilização que utilizava ainda ferramentas simples e rudimentares para seus afazeres. Hoje, as sociedades modernas utilizam um sistema de contas decimal, baseado no número 10, enquanto os maias utilizavam um sistema vigesimal, baseado no número 20. Esse sistema foi baseado, pura e simplesmente, na contagem de seus dedos. "O sistema de contagem dos maias usava o corpo humano e todos os seus dígitos, os dedos das mãos e dos pés", afirma Jill Rubalcaba em sua obra.

A NUMEROLOGIA MAIA – A CONTA LONGA

Os maias possuíam outro sistema de contagem do tempo para comemorar nascimentos reais, subidas ao trono e vitórias bélicas, entre outras conquistas. O tempo era contado a partir de uma data, um marco zero, que no calendário gregoriano é no dia 11 de agosto de 3114 a.C.

As datas eram gravadas de acordo com cinco unidades de tamanho: 144 mil dias (Baktun), 7.200 dias (Katun), 360 dias (tun), 20 dias (uinal) e um dia (kin). Reis e a elite comemoravam o final de um Katun com festivais e monumentos que eram erguidos em homenagem à realeza. "Cada Katun era identificado com um número e se relacionava com uma série de profecias: adivinhos, governantes e pessoas comuns esperavam que o Katun em questão não diferisse em excesso do Katun anterior que levava o mesmo número", explica Charles Phillips em sua obra *O mundo asteca e maia*.

Determinados números tinham significados sagrados para os maias. O número três era sagrado pelos três estratos: o céu, a terra e o inframundo. O 13, era sagrado graças ao número de planos celestes, enquanto o nove era sagrado por ser o número de estratos do inframundo.

A COSMOGRAFIA MAIA E SEUS MUNDOS

O universo maia estaria dividido em quatro níveis, tendo como elo principal a Árvore Cósmica segundo sua cosmografia, que seria a descrição do mundo e do universo de acordo com a visão maia. As árvores, por estarem conectadas com os três mundos de acordo com a visão dos maias, que seriam os céus, a superfície e os subterrâneos, sempre tomaram papel principal nas narrativas e foram objeto de reverência deles.

A Árvore Ixché, muitas vezes identificada como uma Ceiba, mas que poderia ser também uma paineira, ligava esses quatro planos do mundo. Para os maias, era como se o universo tivesse quatro porções e a árvore cósmica ficasse no centro junto à Terra. A Terra é chamada, nessa representação, de mundo médio, e aparece nas representações maias como uma tartaruga, um crocodilo ou um tubarão. Dentro do quadrilátero, em cada um dos quatro lados há uma montanha e em seu interior há uma caverna com uma árvore plantada.

Essas quatro passagens dão acesso a uma faixa líquida que fica suspensa entre a Terra e o inframundo, habitada pelos mortos, os monstros sobrenaturais e os deuses subterrâneos. A guardiã desse oceano é a Sak Baak Chapaat, que na língua dos maias significa "Serpente de Ossos Brancos".

Já o céu, a exemplo dos dois outros mundos, se divide também em quatro porções, sendo cada uma delas sustentada por um dos filhos de Itzámna, os Bakab. "[...] espécie de gigante mítico que possui aspecto de velho com carapaça de tartaruga ou caracol (os quatro Bakabs se chamam respectivamente Hobnil, Cantzicnal, Saccimi e Hosanek)", conta A. S. Franchini na obra *As melhores histórias das mitologias asteca, maia e inca*. O céu maia também é representado por um gigante ou crocodilo bicéfalo. No topo das representações do universo maia está representado o deus Itzamná como um imenso Deus-Pássaro.

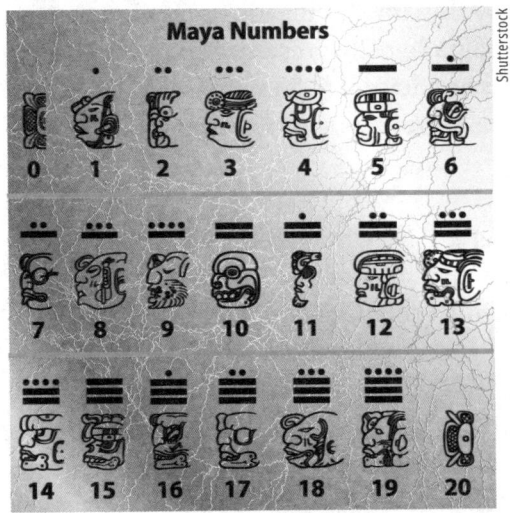

Tabela com os números maias

12

OS MAIAS E SUA ARTE

CONHEÇA A PINTURA, A CERÂMICA, A MÚSICA E TODA A PRODUÇÃO ARTÍSTICA DESSE POVO

O sistema de produção de peças de arte maia, que também podiam ser usadas como utensílios, como potes ou vasos, era muito cooperativo e por vezes se assemelha ao processo de produção em série de muitas empresas. Os ceramistas maias, mesmo sem utilizar a roda para acelerar o processo, são um bom exemplo dessa produção em série. Cerâmicas eram produzidas em massa em uma linha de montagem e eles utilizavam moldes para fazer as formas básicas e adicionavam decorações à mão. Cada passo do processo de fabricação era feito por um especialista, que passava para o próximo especialista na linha de montagem.

Essa era uma técnica utilizada pelos ceramistas, mas que não diminuía em nada a precisão e a qualidade do seu trabalho ou de outros artistas e artesãos que trabalhavam, entre outras coisas, fazendo grandes pinturas murais dentro e fora dos templos, peças em cerâmica e esculturas, além de trabalhos em ouro e jade. Pintores faziam seus pincéis com fibras de mandioca ou pelos de animais ou humanos ligados a tubos ocos. Ferramentas eram feitas com pontas afiadas para um trabalho mais detalhado, enquanto o interior de uma concha fazia dela o potinho perfeito para misturar as tintas e pigmentos para o trabalho.

As tintas eram feitas de diversos materiais, dependendo de suas cores. O amarelo, azul e o branco eram feitos de argila, enquanto o vermelho vinha do óxido de ferro. O preto era conseguido com carvão vegetal, enquanto o marrom vinha da limonite, um mineral.

Os artesãos maias também eram responsáveis por confeccionar o papel que continha as escritas sagradas e que possibilitou a manufatura dos diversos livros que ainda resistem no século XXI. Esse papel era feito com a camada interna das cascas das árvores de figueira. Após embebida em uma mistura, era fervida em água junto com milho e cal, ou misturada com cinzas. Depois de receber essa lavagem, ela secava ao sol, até estar seco o bastante para ser alisado pela fricção com pedras ou batido para se tornar mais fino. Para que não quebrasse, o papel recebia uma fina camada de gesso ao final do processo. "Os artesãos mais talentosos trabalhavam nas oficinas do palácio fazendo produtos de alta qualidade, que traziam prestígio aos seus proprietários. A maioria, se não todos aqueles artesãos, foram a elite em si", completa Jill Rubalcaba na obra *Empires of the maya*.

AS PINTURAS MAIAS

As pinturas maias são utilizadas, desde o início da civilização, para a criação de cenas que remontam desde o imaginário de seus deuses e da mitologia daquele povo, até para ilustrar cenas de guerras, batalhas, glórias e governos. Bonampak, uma das cidades maias que foi eternizada como sítio arqueológico e está situada ao lado do Rio Lanchna, no México, significa "Paredes Pintadas", e abriga o "Templo das Pinturas" uma das obras arquitetônicas mais importantes da história, por conter os mais belos murais pintados de toda a arte do povo maia. No interior do templo é possível contemplar três salas. Na primeira estão pintadas cenas de preparativos para uma expedição de guerra enquanto um rei está sendo bajulado por uma corte e por sacerdotes. Na segunda sala se vê o soberano maia agarrando um prisioneiro pelos cabelos, enquanto este se submete à vontade do rei, demonstrando um claro sinal de humilhação e derrota, ilustrando a vitória dos maias na guerra.

Na terceira e última sala é possível conferir os afrescos da festa dada em homenagem ao rei vitorioso em sua guerra. Segundo Charles Phillips, os murais de Bonampak representam o apogeu das pinturas maias e são caracterizados por um estilo fluido e expressivo, de um naturalismo incomparável.

Segundo afresco de Bonampak

A MÚSICA MAIA

Os maias não possuíam uma música tão desenvolvida quanto seus contemporâneos, os astecas, mas utilizavam a música em diversos tipos de danças e festividades. Os instrumentos maias eram muito variados e iam desde tambores até instrumentos de sopro.

Os tambores maias eram os mais diversificados de todos os instrumentos. O Tunkul era um tambor vertical feito de uma casca de árvore oca e que possuía em suas extremidades pele de cervo, e frequentemente chegava até o peito do percussionista de tão grande. Já o tambor feito com carapaça de tartaruga era tocado com as mãos, diferente de outro tipo de tambor menor feito de membranas de madeira que era tocado, necessariamente, com baquetas.

Existiam também tambores feitos de argila que tinham a forma de duas jarras colocadas base com base e com membranas nas extremidades. Bailarinos, durante as danças rituais, frequentemente amarravam guizos de cobre, ouro e prata em seus pulsos, pernas e cinturas enquanto tocavam com a mão um pequenino tambor chamado pax.

Já os instrumentos de sopro recebiam materiais um pouco mais sinistros. Os músicos tocavam flautas feitas de cana, conchas, e até mesmo de ossos de pernas humanas. Existiam também trombetas de argila ou madeira.

"A música não era limitada às ocasiões felizes. Percussionistas marchavam ombro a ombro com guerreiros nas batalhas. Bandos de músicos lideravam cortejos fúnebres. Melodias especiais eram compostas para funerais. As notas deveriam capturar a atenção dos deuses e deixá-los saber que um ente querido tinha embarcado em sua jornada através do inframundo", completa Jill Rubalcaba na obra *Empires of the maya*.

13

A FASCINANTE ARQUITETURA MAIA

PIRÂMIDES, TEMPLOS E CIDADES ESCONDIDAS
NAS DENSAS FLORESTAS DA MESOAMÉRICA

A arquitetura maia é tema de fascínio e desperta a nossa curiosidade por essa grande civilização, em grande parte por conta do legado que permaneceu intacto dentro das selvas guatemaltecas durante séculos até serem descobertas. Pirâmides, templos e até mesmo cidades inteiras ainda são descobertas até hoje, pela difícil localização e por se esconderem nas mais densas vegetações mesoamericanas.

Contudo, é impressionante como os maias deixaram tamanho legado utilizando apenas técnicas rudimentares de construção, como explica Jill Rubalcaba na obra *Empires of the maya*: "Os maias construíram essas grandes cidades usando tecnologia da Idade da Pedra. Eles não tinham cimento para fazer paredes ou metal para providenciar reforço ou maior sustento. Não existiam ferramentas de metal – nem serras de metal, brocas, ou ferramentas de esculpir. Todas as suas ferramentas eram feitas de pedra".

TÉCNICAS DE CONSTRUÇÃO MAIA

As técnicas de construção maia, desde os tempos mais remotos dessa civilização, seguiam um padrão lógico para o levantamento de um prédio, fosse ele público, privado ou mesmo os templos e pirâmides. Primeiro, os maias erguiam quatro pilares resistentes feitos de pasta de adobe e em seu interior entrelaçavam diversas varas finas, a fim de dar maior suporte e sustentação. Esses quatro pilares eram postos desta maneira em homenagem à lenda dos filhos do deus Itzamná, que colocou seus quatro filhos, um em cada canto da terra, a fim de segurarem os céus. Feito isso, os construtores maias passavam para o levantamento das paredes, que podiam ser feitas de pedras em construções mais avantajadas ou em locais que dispunham de pedras em abundância. "Em algumas regiões, onde havia pedra para construir, os construtores colocavam plataformas de pedra para as casas ou construíam as partes baixas das paredes em pedra antes de cobri-las com pasta de adobe ou de cal", conta Charles Phillips na obra *O mundo asteca e maia*.

Muitas das construções feitas nas regiões mais quentes da América Central eram levantadas pelos maias sem revestimento nas paredes, a fim de permitir uma maior circulação de ar, já que as casas não possuíam janelas. Finalizadas as paredes, os maias confeccionavam os telhados em um ângulo no qual as folhas planas que utilizavam, ou mesmo a palha, não fossem tão agredidas pelas

Ruínas das cidade de Uxmal, no México

fortes chuvas, fazendo das construções verdadeiros abrigos para o povo maia. "Os templos de pedra eram versões mais elaboradas e permanentes da palhoça ancestral. Os elementos da casa primitiva eram reproduzidos no palácio e no templo", conta Charles Phillips em sua obra.

EFEITOS DE SOM E LUZ

A arquitetura maia sempre teve grandes proporções e até hoje são estudados os templos e pirâmides deixados por essa grandiosa civilização. Um fato curioso que estudiosos puderam confirmar, é que alguns de seus templos podem ter sido pensados de acordo com os efeitos de luz e som. A acústica para os maias era muito importante, pois graças a ela um sacerdote poderia declamar os discursos rituais de forma que todos pudessem ouvir. "Trabalhos recentes de estudiosos têm sugerido que os complexos rituais e as praças sagradas podem ter sido desenhados levando-se em conta a acústica", conta Charles Phillips na obra *O mundo asteca e maia*.

De fato, o primeiro a reconhecer que os maias tinham um projeto arquitetônico bem mais complexo do que aparentava foi o engenheiro acústico e consultor pela Universidade do Sul da Califórnia, David Lubman. Em 1998, em sua expedição às terras maias, Lubman reparou como os degraus da pirâmide devolviam o som que se fazia quando se batia palmas na base da escadaria. O som que retornava era semelhante ao grito descendente de um pássaro quetzal, considerado um animal sagrado para os maias. Lubman ainda argumenta em sua tese que os degraus foram cuidadosamente posicionados para que esse som de grito de pássaro fosse possível. Para tal, os maias combinaram uma base estreita nos degraus mais baixos (local onde se apoia o pé) com uma contrabase mais elevada (altura do degrau).

Outro efeito estudado foi o das luzes. Foi descoberto que o Templo da Serpente Emplumada foi construído naquele local por ser a localização em que o equinócio da primavera e o do outono formava um padrão de luz ondulante nos degraus da pirâmide, como uma espécie de serpente de luz.

MATÉRIAS-PRIMAS PARA A CONSTRUÇÃO

As matérias-primas utilizadas nas grandes construções maias variavam de acordo com a disponibilidade e a região. Na região sul, rochas fáceis de serem modeladas não eram encontradas com facilidade, obrigando os maias a utilizarem outros recursos. "Inclusive as construções maiores eram, com frequência, feitas de blocos de adobe, embora em Copán os operários extraíssem e usassem traquito local, e em quiriguá trabalhassem com mármore, arenito e riólito", conta Charles Phillips em sua obra.

Já nas regiões mais ao norte, grandes quantidades de calcário podiam ser encontradas com facilidade, e por ser um material rico e fácil de ser cortado em blocos, os operários puderam trabalhar de forma muito melhor. Além disso, era possível fazer gesso ao queimar o cal.

CHICHÉN ITZA

Chichén Itzá, que significa literalmente "Itzá à beira do poço" nos dialetos maias, está localizada na extremidade da Península do Yucatán, em uma das faixas de terra que avança em direção ao oceano. Talvez a cidade maia mais famosa de todas, Chichén Itzá aparentemente, segundo os relatos maias descritos no Chilam Balam, foi fundada pelo próprio deus Itzamná após uma longa peregrinação do povo maia.

Mais importante do que a fundação da cidade sob as asas do deus, foi o revolucionário sistema político que Chichén Itzá trouxe ao legado dos maias. Os Itzá praticavam uma forma de governo descentralizada, o que era uma raridade para a época. O poder estava nas mãos de um rei, mas também de um conselho governante, formado pelos líderes das famílias nobres e da elite. Esse sistema se chamava Multepal (mul significa "grupo" e tepal significa "para governar"). "Cada pessoa tinha uma posição administrativa específica em um determinado território. E todas as questões eram discutidas entre muitas pessoas antes de chegar a uma decisão conjunta",

Templo de Kukulcán em Chichén Itzá, no México, é uma das sete maravilhas do mundo moderno

conta Jill Rubalcaba na obra *Empires of the maya*. A segurança desse novo regime político era uma grande conquista para os maias, porque, se o rei da cidade fosse capturado durante uma invasão ou incursão militar, a cidade não ficaria desprotegida e sem comando.

Chichén Itzá foi também um marco cultural dos maias. Com um pensamento muito mais voltado para o exterior, os nobres adicionavam sua influência dentro da própria cidade e seus espaços públicos. "Além disso, os líderes da cidade promoveram o intercâmbio de bens e ideias em toda Mesoamérica. Ao adotar costumes de pessoas de fora, expandindo as redes de comércio e recebendo imigrantes, Chichén Itzá ampliou suas tradições culturais", completa Jill Rubalcaba em sua obra.

O DECLÍNIO

Ainda não está claro para os historiadores o motivo de Chichén Itzá ter sido abandonada e consequentemente destruída. Suas construções pararam em 1050 d.C., e já em 1100 d.C. a cidade não era mais o centro dominante da península de Yucatán. Em 1300, ela foi completamente substituída pela cidade-irmã de Mayapán no comando da liga regional, um pacto que unia uma tríplice aliança entre Chichén Itzá, Mayapán e Uxmal. "Historiadores não têm certeza se a ruína de Chichén Itzá foi causada pela conquista de outro povo ou se a destruição ocorreu depois de sua queda", completa Jill Rubalcaba.

PALENQUE

Palenque é, assim como Chichén Itzá, uma das cidades maias mais famosas. Situada no limite norte do que hoje é o estado mexicano de Chiapas, a cidade também abriga um dos sítios arqueológicos mais importantes para o entendimento do povo maia.

Considerada pelo historiador Jacques Soustelle como "A Cidade do Refinamento e da Graça", Palenque era em sua essência diferente das outras cidades-estados maias do período clássico. Nela não havia bosques suntuosos de estelas nos quais os talhadores maias colocavam a arte da escrita hieroglífica em exercício, nem amplas praças cerimoniais, acrópoles ou grandes vias comerciais. O principal diferencial estava em outros detalhes, citados por Charles Phillips na obra *O mundo asteca e maia*: "Suas edificações estavam adornadas com esculturas de estuque e relevos, pioneiros na arte do retrato naturalista das figuras reais".

Ainda assim, a cidade foi uma das maiores do mundo maia e alcançou uma posição de prestígio perante a política da Mesoamérica durante os anos de 615 a 683 d.C., época em que o rei Pakal assumiu o trono de Palenque e se tornou o maior governante de toda a história da cidade.

O REI PAKAL

Hanab Pakal foi um dos mais brilhantes governantes maias que já existiu. Seu reinado durou aproximadamente 67 anos e trouxe muita prosperidade à cidade de Palenque e também a ele, com a criação de monumentos que ilustravam a honra aos deuses e os mitos da criação. "Quando Hanab Pakal assumiu o trono, aos 12 anos de idade, ele marcou o início de uma nova dinastia em Palenque", conta Jill Rubalcaba ao ressaltar a importância do legado do rei na obra *Empires of the maya*. Conquistando o apoio de todos, o rei Pakal colocou em marcha um grande programa de construção que levantou, entre outros, os monumentos hoje conhecidos como o Templo Olvidado e o Complexo Palaciano.

O corpo do rei Pakal ainda descansa sob uma tampa de cinco toneladas no grande Templo das Inscrições, descoberto em 1952 pelo arqueólogo mexicano Alberto Ruz. Após sua morte, seu filho Chan-Bahlum assumiu o trono.

O DECLÍNIO

O declínio de Palenque não foi nem um pouco glorioso ou épico. O irmão de Chan-Bahlum, Kan Xul, assumiu o trono após o reinado de 18 anos de Bahlum. Porém, só trouxe problemas a todos. Ávido por conquistas, organizou uma incursão para capturar o líder de uma das tribos vizinhas, mas foi ele quem acabou capturado. No entanto, de acordo com as leis maias, não podiam colocar outro rei no lugar de Kan Xul até que ele fosse sacrificado. Como estratégia militar, a tribo rival o deixou vivo por longos anos, fazendo com que Palenque ruísse de forma gradativa pela ausência de seu líder. Quando Kan Xul foi sacrificado, Palenque era só uma sombra do que foi um dia, e mesmo com uma sequência de governantes, desapareceu de forma gradual e silenciosa.

TIKAL

Tikal significa "o local das vozes" na língua maia, e por mais de mil anos os maias continuaram construindo na cidade, o que a caracteriza como uma das mais antigas cidades maias de todos os tempos.

A cidade iniciou sua expansão quando ainda era apenas um simples povoado, na fase pré-clássica do período maia, e com o tempo cresceu até chegar à grande potência que foi. "Localizada na Guatemala, a cidade, considerada a maior de todas do mundo maia, está repleta de estelas que nos fornecem o seu histórico cronológico preciso, dando-nos a indicação, passo a passo, do seu início (292 d.C.), passando pelo seu apogeu, até o seu declínio, por volta de 869 d.C.", conta A. S. Franchini em sua obra.

Em seu apogeu, a cidade possuía mais de 60 mil habitantes. Durante muito tempo, assim como ocorreu em diversas cidades mesoamericanas naqueles tempos, os povos em volta de Tikal sofreram pausas na produção de seus monumentos. Isso poderia ter ocorrido pela aliança com algum reino vizinho ou pela queda dos governantes, sendo este último o que de fato aconteceu inúmeras vezes dentro da história política dos povos ao redor da cidade, bem como dos maias de Tikal.

Pirâmide do Mundo Perdido, localizada na parte mais antiga de Tikal

O ESPLENDOR

Após a queda de El Mirador, um dos mais jovens centros maias durante a era pré-clássica, muitas comunidades, que antes eram pequenas, tiveram a oportunidade de fundamentar suas políticas e expandir seus domínios sobre a Mesoamérica. Uma dessas comunidades era Tikal, que por muito tempo emergiu como uma verdadeira potência. George Stuart e Gene Stuart descrevem um pouco o tamanho que a cidade possuía em seu auge, na obra *Lost kingdoms of the maya"*. Segundo os autores, Tikal possuía mais de seis milhas quadradas somente em sua zona central, o que comportava mais de 3 mil construções com estradas ligando todas elas, onde predominavam templos, pirâmides, palácios, campos de bola, praças e casas.

Graças a esse imenso complexo rico em construções a arqueologia deu um grande passo em direção a uma fonte quase inesgotável de conhecimento sobre os maias. Já foram descobertos mais de 100 mil objetos das ruínas de Tikal, e é impossível calcular quantos ainda existam em seu solo. "A antiga zona residencial se estende ao longo de mais de 23 milhas quadradas da floresta", contam George e Gene em sua obra.

O DECLÍNIO

Após uma série de conflitos que haviam durado anos, envolvendo Calakmul, outra tribo local que derrotou os habitantes de Tikal, em 869 o 33º rei e último governante de Tikal falhou em reconstruir a cidade devastada pelos conflitos. Mesmo assim, ainda por motivos desconhecidos, os habitantes de Tikal se separaram em pequenas comunidades, enquanto a gloriosa cidade se perdia em meio às densas selvas, sendo engolida pela natureza até seu redescobrimento pelos arqueólogos.

COPÁN

Copán foi uma das maiores cidades maias do período clássico e permanece como um dos sítios arqueológicos mais importantes para o entendimento da civilização, com diversas construções icônicas. Localizada a oeste de Honduras, na linha divisória que separa esse país da Guatemala, a cidade fica a uma altitude de 700 metros do Vale do Rio Copán, e durante séculos foi ocupada por vários povos, desde o ano 1000 a.C. "Copán dominou a área sudeste maia durante uma longa, ininterrupta linhagem de 16 governantes. [...] Os ricos recursos de Copán apoiaram seu crescimento durante o período de estabilidade. A política era concentrada nas terras agrícolas férteis. A cidade estava também estrategicamente posicionada em importantes rotas comerciais", conta Jill Rubalcaba na obra *Empires of the maya*.

Suas ricas terras fizeram com que a população da cidade crescesse exponencialmente em um curto período de tempo, o que causou o crescimento de Copán para fora das dependências do Vale. Em seu auge, que foi por volta do ano 800 d.C., Copán possuía mais de 20 mil habitantes, contando os povoados que se instalavam nas imediações da cidade.

AS CONSTRUÇÕES

As construções encontradas em Copán ilustram, de forma significativa, em muito o esplendor da civilização maia graças a um conjunto de estelas, que são grandes pedras entalhadas com diversos hieróglifos, que contam a história do povo.

Outra construção importantíssima, e talvez a mais notável de toda cidade, é a Escadaria dos Hieróglifos que, localizada na face oeste de uma pirâmide no centro da cidade, é um dos mais completos registros da história do povo maia. "Repleta de terraços e plataformas, a 'Atenas dos maias' apresenta suas relíquias, como a Escadaria dos Hieróglifos, formada por 63 degraus adornados por 2.500 glifos – a mais longa inscrição encontrada nos monumentos maias –, nos quais estão inscritos os nomes dos soberanos reinantes e uma série de eventos históricos ainda não completamente decifrados [...]", conta A. S. Franchini na obra *As melhores histórias das mitologias asteca, maia e inca*.

A cidade também possuía campos de bola de dimensões imponentes, bem como uma Acrópole, que além de ser a maior construção de toda a cidade, também incluía dois grandes pátios e diversos templos.

A Acrópole ficava no lado sul da cidade, enquanto do lado norte permaneciam os campos de bola, a escadaria e a Grande Praça. Desta Grande Praça saíam diversas estradas em direção às cidades e povoados mais ao norte, bem como a região que comportava as residências.

O DECLÍNIO

Após a morte do Lorde Fumaça Jaguar em 695, e a captura do Lorde 18 Coelho algum tempo depois, o destino de Copán ficou nas mãos do rei Fumaça Concha, o 15° governante. Ele foi responsável pela construção da Escadaria dos Hieróglifos, bem como a formação de um conselho formado pelas elites para auxiliar o rei. A fim de dar mais força e autonomia a Copán, que já havia perdido grande parte de suas rotas comerciais, o rei Fumaça Concha se casou com uma das filhas da realeza de Palenque.

Em 810, seu filho Yax Pac havia acabado de assumir o trono quando os nobres e os líderes de cidades locais tomaram o restante dos territórios de Copán e expulsaram a realeza de seu lugar de direito, terminando assim com a dinastia de governantes, bem como com a glória de Copán.

Antiga gravura de Copán, 1890

14
A CHEGADA DOS ESPANHÓIS

COM A INVASÃO DOS EUROPEUS, A CIVILIZAÇÃO MAIA FOI DURAMENTE ATACADA, ENTROU EM DECLÍNIO E SUAS CIDADES FORAM ABANDONADAS

A chegada dos espanhóis às terras da América Central não foi nem um pouco gloriosa. O primeiro contato com os maias aconteceu apenas na última viagem de Cristóvão Colombo para as Américas, em 1502. No entanto, o primeiro ataque espanhol aos maias não foi com seus mosquetes, e sim com doenças. "Em 1516, os maias do Yucatán tinham sido devastados pelo que foi, provavelmente, a varíola. Eles nunca tinham sido contaminados pela doença antes da chegada dos espanhóis, e eles não tinham imunidade", conta Jill Rubalcaba na obra *Empires of the maya*.

O primeiro ataque frontal dos espanhóis sobre os maias ocorreu já em 1519, liderado por Hernán Cortés, que também conquistou os astecas. Porém, mesmo com a vantagem de ter equipamentos mais sofisticados e cavalos, os espanhóis demoraram aproximadamente 200 anos para submeterem os maias à sua vontade. Quando os espanhóis terminaram a ofensiva, a população dos maias tinha sido reduzida em 90%.

O ABANDONO DAS CIDADES E O FIM DA CIVILIZAÇÃO

Por mais irônico que isso possa ser, os próprios maias proporcionaram sua derrota. Quando os espanhóis chegaram, eles ainda possuíam, em quase sua totalidade territorial, as bases políticas que os dividiam em diversas cidades-estados. Como se não bastasse toda a civilização estar dividida, muitas dessas cidades estavam enfraquecidas devido a ataques tribais internos. Graças às novas doenças, os espanhóis tiveram um caminho um pouco mais aberto para a conquista. No entanto, o principal fator foi a atitude dos próprios maias. Para destruírem cidades rivais, eles se aliaram aos espanhóis para massacrar os maias de outras localidades. Após conquistarem a vitória, os espanhóis se voltaram contra os seus antigos aliados, promovendo sua queda por igual.

OS MAIAS E SUA CHEGADA AO SÉCULO XX

Após a conquista e colonização europeia, outro episódio histórico foi decisivo na vida dos maias. As regiões da América Central já estavam em seu processo para se tornarem as nações conhecidas hoje, e os maias, em meio a esse contexto político, tiveram de se adaptar para sobreviver à mudança dos tempos.

AS HACIENDAS

Quando os mexicanos se rebelaram contra os espanhóis em 1810, e após uma longa guerra que durou até 1821, de fato conseguiram a independência, e os maias que viviam na península de Yucatán estavam tão aliviados quanto os mexicanos pelo fim da opressão espanhola. Mal eles sabiam que sua posição dentro da sociedade não havia de fato ganhado nenhum avanço. "Embora os maias fossem agora tecnicamente pessoas livres com uma nova nação, a maioria não tinha outros meios para se sustentar se não trabalhar nas fazendas pertencentes a proprietários ricos", explica Jill Rubalcaba na obra *Empires of the maya*. Essas fazendas eram todas administradas por descendentes dos conquistadores espanhóis originais. A vida dos maias nessas *haciendas* (termo espanhol para fazendas) não era melhor do que a de escravos. "Os proprietários de terras espanhóis aproveitaram da situação dos maias e os controlaram, a fim de mantê-los em constante dívida financeira. Eles nunca eram pagos o suficiente para trabalharem fora das fazendas, e assim, eles foram forçados a continuar a trabalhar para os antigos colonizadores. [...] Eles viviam em extrema pobreza", conta Jill Rubalcaba ainda em sua obra.

O governo mexicano, que lidava com uma série de revoltas de sua própria população, percebeu a situação que os maias estavam passando e ofereceu a eles a oportunidade de servirem o exército mexicano em troca do perdão de suas dívidas com as *haciendas*. Em 1847, no entanto, os maias organizaram uma rebelião armada contra os descendentes dos espanhóis originais e os mexicanos, ao perceberem que jamais escapariam daquela situação.

A GUERRA DAS CASTAS

Em 30 de julho de 1847, após mais de três séculos de abusos nas mãos dos europeus e seus descendentes, os maias começaram sua violenta revolta armada em busca de liberdade. Com uma força de 12 a 15 mil soldados, expulsaram diversos espanhóis de suas terras e as incendiaram. "Soldados maias no Yucatán massacraram homens, mulheres e crianças. [...] Em um esforço para acabar com a rebelião, autoridades mexicanas convocaram todos os homens com idade entre 16 e 60 anos para o exército. Ambos os lados cometeram atos cruéis e brutais", conta Jill Rubalcaba em sua obra.

Já em 1850, os maias haviam se instalado em uma comunidade

independente das *haciendas*, na Vila de Chan Santa Cruz. Lá, montaram o acampamento que resistiu por mais de 50 anos contra as forças militares mexicanas.

A reviravolta ocorreria já no século XX, quando, em um acordo com o México, o Reino Unido, que provinha suprimentos e armas para os maias, se negou a continuar fornecendo, fazendo com que em 1901 os maias perdessem sua batalha contra os mexicanos. "A Guerra das Castas tinha custado muito aos maias. Mais de 50 mil deles perderam suas vidas na rebelião", completa Jill Rubalcaba na obra *Empires of the maya*.

O MÉXICO E OS MAIAS

Já em 1915 o governo mexicano removeu todas as forças militares de Chan Santa Cruz e a partir daquelas terras os maias retomaram o controle de seus próprios caminhos. Pequenas vilas foram formadas nos arredores daquela região e uma outra espécie de crença religiosa, uma mistura do cristianismo espanhol com o politeísmo maia foi criada e seguida por esse povo.

Os maias do Yucatán conseguiram bons empregos naquela época graças a um *boom* econômico da Henequen – espécie de planta fibrosa que servia para fazer fios – que era muito requisitada por países como os Estados Unidos. Porém, os preços desse material caíram drasticamente com a queda da bolsa de Nova York em 1929, e com isso, a região do Yucatán passou da mais promissora para a mais pobre em apenas algumas décadas. "Trabalhadores maias não conseguiam encontrar empregos. O crime cresceu tão rapidamente quanto os níveis de pobreza. Hoje, a população do Yucatán vê no turismo uma forma de conseguir empregos e oportunidades", completa Jill Rubalcaba na obra *Empires of the maya*.

15
GUATEMALA: O CORAÇÃO MAIA

O QUE RESTOU DESSE POVO NOS PAÍSES DA AMÉRICA CENTRAL E COMO PARTE DAS TRADIÇÕES SÃO PRESERVADAS ATÉ HOJE

As construções, cidades e territórios maias estão em diversas partes da América Central e ocupam hoje cerca de cinco países, que utilizam a cultura maia e seus resquícios para promover seu turismo: México, El Salvador, Guatemala, Honduras e Belize.

As campanhas envolvendo a cultura milenar do povo ameríndio figuram em torno das profecias que constituíam o fim do mundo, de acordo com estudiosos.

O povo maia na realidade é a junção de vários povos, característica que os assemelha aos antigos gregos, que nunca constituíram um Estado unificado. Outro aspecto que assemelha os maias aos gregos antigos é seu grande desenvolvimento artístico e científico.

A cultura maia está viva e as tradições milenares se mantêm nesses países.

A arquitetura está representada em templos, palácios e pirâmides com degraus.

O barroco espanhol está presente na arquitetura colonial, representado por elementos indígenas. Exemplo desse estilo está presente nas ruínas da catedral de San Jose, situada na cidade de Antigua Guatemala. Sua construção teve início em 1542, com os pilares colocados ao lado da antiga catedral no vale de Almolonga, e interrompida devido aos frequentes terremotos na região. Em 1669

Turista visitando as antigas ruínas maias na Guatemala

o templo foi demolido e em 1680 foi inaugurado em 1680 um novo santuário, sob a direção de Juan Pascual e José de Porres. O título de catedral foi concedido em 1743, tendo esta se tornado a mais luxuosa da América Central do período. Sob sua estrutura existe uma cripta e um conjunto de túneis de valor desconhecido.

A arte escultórica maia, feita de gesso, pedra e madeira, era decorativa e ornamentava templos e palácios. Em 2019, arqueólogos poloneses encontraram mais de 800 de objetos maias ao mergulharem no lago Peten Itza, no norte da Guatemala. Entre os objetos, estavam taças cerimoniais e lâminas de rocha obsidiana, do período de 1000 d.C. a 1697 d.C., possivelmente utilizadas para sacrifícios de animais. A estatuária popular maia atingiu a perfeição a partir do século XVI.

Na Guatemala estão alguns dos mais remotos vestígios da civilização maia, cujas fases são conhecidas graças às estelas de pedra, usadas para medir o tempo. A primeira estela remonta ao ano 328 d.C., encontrada em Uaxactún. Eram parte da paisagem das praças públicas maias estelas contando os feitos de um determinado rei. Outros centros com ruínas maias são Quirigua e Yaxchilán.

A GUATEMALA: O CORAÇÃO DO MUNDO MAIA

Metade dos mais de 20 milhões de pessoas na Guatemala são maias. No entanto, diferentemente do México, mesmo constituindo quase metade da população ativa, na Guatemala eles ainda sofrem preconceito, sendo considerados inferiores em relação aos descendentes dos espanhóis.

A história dos maias na Guatemala foi tão difícil quanto nas terras mexicanas. Os agricultores maias, ainda no meio do século XX, foram expulsos de suas terras para áreas montanhosas onde a agricultura é terrivelmente difícil e muito pouco produtiva.

Na época, o governo da Guatemala, entre 1945 e 1954, tentou de todas as formas tratar os maias com mais dignidade, apesar de o governo dos Estados Unidos da América intervir fortemente em nome da coligação de empresas norte-americanas American United Fruit Company (AUFC), que possuíam mais terras na Guatemala que qualquer outra empresa.

Assim, para impedir a queda dos lucros, o governo norte-americano auxiliou na derrubada do governo guatemalteco, que perdeu sua posição para uma ditadura militar ainda em 1954.

"O novo governo militar era tão corrupto que milhares de maias escolheram fugir de suas terras natais, temendo por suas vidas. Aqueles que permaneceram e se manifestaram contra a corrupção foram presos e executados", conta Jill Rubalcaba na obra *Empires of the maya*.

Mesmo com a fuga de milhares de maias, mais de 150 mil pessoas foram mortas e outras 40 mil permaneceram desaparecidas. Somente na década de 1980, milhares fugiram para campos no México ou para os Estados Unidos.

O sofrimento maia na Guatemala só teria fim em 1995, com a eleição do conservador Alvaro Arzú, que governou de 1996 a 2000. Hoje, as coisas estão longe de serem parecidas com o que aconteceu durante o governo militar. Os maias podem celebrar sua identidade cultural e retornaram às suas terras ancestrais, tudo sob a proteção da lei.

O multiculturalismo e as raízes históricas são as principais estratégias de promoção do turismo na Guatemala, que vêm sendo exploradas a partir da década de 1990.

OS MAIAS HOJE

Estima-se que haja hoje cerca de 6 milhões de descendentes maias. Segunda principal etnia indígena do México, depois dos nahuas, os maias representam 80% da população de Yucatán, Estado no sul do país. Além disso, há também comunidades em Belize, Guatemala, Honduras e El Salvador.

Eles constituem algumas tribos isoladas nos territórios dos diversos países nos quais foram presença dominante séculos atrás, com exceção da Guatemala, que ainda possui grande proporção de maias em sua população.

Porém, a tendência é que os costumes maias se dissipem ao longo dos anos, como aconteceu com o grupo de maias que vive no estado mexicano de Chiapas.

Os Lacandon, como são chamados, são uma tribo maia que ainda fala um dos 30 dialetos maias e continuam preservando os mesmos costumes dos seus ancestrais. Eles vivem em casas com telhados de colmo e as mulheres ainda produzem tecidos com técnicas daquele período, e neles, bordam imagens de seus antepassados, seus deuses e credos, enquanto os homens ainda vão aos campos de milho e se juntam para construir casas.

No entanto, um dos últimos chefes maias, Chan K'in, que ainda exercia seu papel como sacerdote e oferecia panelas de barro aos deuses, morreu em 1996. Hoje, as panelas são vendidas pelo seu filho para turistas em Palenque. De lá, um por um, os maias mais jovens abandonam aos poucos suas raízes para se juntar ao mundo contemporâneo.

Homem com roupas tradicionais na Guatemala

REFERÊNCIAS BIBLIOGRÁFICAS

DEVINE, Jennifer. The maya spirit: tourism and multiculturalism in post peace accords Guatemala. **London Journal of Tourism, Sport and Creative Industries (LJTSCI)**, Volume 2, Edition 1, Spring 2009. Disponível em https://www.jenniferdevine.com/uploads/3/7/8/2/37825821/devine_the_maya_spirit.pdf acesso em 3/8/2022.

ESTRADA-BELLI, Francisco. **The first maya civilization**. Boston: Ed. Routledge, 2010.

FRANCHINI, A. S. **As melhores histórias das mitologias asteca, maia e inca**. São Paulo: Ed. Artes e Ofícios, 2012.

GENDROP, Paul. **A civilização maia**. São Paulo: Zahar Editora, 1987.

LANDA, Diego de. **Relación de las cosas de Yucatán**. Madrid: Alianza Editorial, 2017.

LANDA. Diego de. **Yucatán before and after the conquest**. Nova York: Dover Publications, 2012.

PHILLIPS, Charles. **O mundo asteca e maia**. São Paulo: Editora Folio, 2002.

RUBALCABA, Jill. **Empires of the maya**. Nova York: Chelsea House Publishers, 2009.

SHARER, Robert J. **The ancient maya**. Redwood City: Stanford University Press, 2005.

SMITH, Monica L. **The social construction of ancient cities**. Smithsonian Books, 2010.

SOMERVILL, Barbara A. **Empire of the aztecs**. The Commercial Press, 2015.

STUART, George e STUART, Gene. **Lost kingdoms of the maya**. National Geographic Society, 1993.

WILLIAMS, Carlos Rivera. Historia de la medicina y cirugía en América: la civilización maya. **Revista Médica Hondureña** (2007; 75:152-158).

**CONFIRA NOSSOS
LANÇAMENTOS AQUI!**

Camelot
EDITORA

CamelotEditora